LES AVENTURES DU JEUNE INDIANA JONES™

LA LETTRE SECRETE

Adapté par William McCay
à partir d'un épisode de la série
télévisée intitulé
« Austria, March 1917 »
Téléfilm de Frank Darabont
Histoire de George Lucas
Sous la direction de Vic Armstrong

Avec les photographies du film

ÉDITIONS FLEURUS, 11, rue Duguay-Trouin 75006 PARIS

Ceci est une œuvre de fiction. Bien que le jeune Indiana Jones soit présenté comme prenant part à des événements historiques et soit placé dans des situations en relation avec des personnages ayant existé, les scènes sont purement imaginaires. Par ailleurs, pour l'intérêt dramatique du récit, des modifications chronologiques et historiques ont été apportées par l'auteur dans les scènes relatant des faits connus et évoquant des personnages ayant existé.

Titre original « The Secret Peace », publié par Random House.
Traduit de l'américain par SOGEDICOM.
TM & © 1993 LUCASFILM LTD (LFL) ALL RIGHTS RESERVED.
FLEURUS AUTHORIZED USER.
1993 © Editions Fleurus, Paris
Dépôt légal : février 1993
ISBN : 2.215.03040.2
Imprimé en France

LA LETTRE SECRETE

VIENNE "MARS 1917"

GRANDE BRETAGNE

BELGIQUE

RUSSIE

Paris ⭐

FRANCE

SUISSE

ITALIE

Mer Noire

TURQUIE

MER MÉDITERRANÉE

N
O — E
S

ALLIÉS

FORCES ENNEMIES

PAYS NEUTRES.

0   500 Km

CHAPITRE 1

Le jeune Indiana Jones appuyait sur les pédales de son vélo tout en surveillant d'un œil inquiet les nuages chargés de pluie. La rue aux pavés inégaux était encore trempée, et il savait que, d'un moment à l'autre, la pluie risquait de retomber. Sous l'effort, son souffle se condensait sur son imperméable jaune et brillant et de petites gouttes de sueur glissaient le long de ses tempes.

— Tout le monde prétend qu'il faut voir Paris au mois d'avril !

Passant sous une rangée d'arbres qui n'avaient pas encore de feuilles, Indy s'y fit cependant tremper et il s'ébroua comme un chien.

— Mais personne ne dit jamais que mars est si affreux !

Puis il serra les dents et attaqua la dernière montée, qui n'était pas la plus facile.

Un grondement lointain ne le fit pas accélérer.

Indy savait qu'il ne s'agissait pas d'un orage, mais du roulement sourd des boulets de canon, à une trentaine de kilomètres au nord de la capitale française.

— Qui aurait pu penser qu'un assassinat politique entraînerait autant de pays dans une guerre? marmonna Indy.

Depuis l'invasion allemande, deux ans et demi auparavant, les troupes françaises et leurs alliées britanniques s'étaient évertuées à les tenir à distance. Les Allemands avaient également taillé leur chemin à travers la Belgique, bien que ce petit pays ait étonné le monde entier en prenant part à la bataille.

À la recherche de l'aventure, Indy avait rejoint l'armée belge, et il avait vite pris du grade. Sous son imperméable de cycliste, il portait l'uniforme de capitaine belge, mais malgré sa qualité d'officier, il n'était que l'un des nombreux rouages de l'énorme machine de guerre.

Des Alpes à la Manche, les soldats affrontaient le danger dans les tranchées, qui s'étiraient sur une largeur de 250 kilomètres.

À ce jour, plus de trois millions et demi de ces soldats avaient été blessés ou tués dans les diverses batailles, ce qui représentait presque deux hommes sur chaque « pied » des lignes du front.

— Pas étonnant, se dit Indy, les généraux continuent à envoyer les hommes en lignes droites, et ils tombent comme des mouches sous le feu des mitrailleuses.

Il entendit de nouveau le lointain fracas — preuve d'un bombardement important. Indy se demanda si la théorie qu'il avait entendue récemment était vraie.

Les pluies terribles qui s'abattaient sur la région depuis le début de la guerre auraient été provoquées par les ébranlements dus aux tirs des canons. La conjugaison du pilonnage de l'artillerie et de la pluie faisait que le *no man's land* entre les tranchées était devenu une véritable mer de boue.

Indy avait entendu parler d'hommes qui y avaient été engloutis entièrement, incapables de s'en sortir. Cela le faisait frémir et il ne pouvait s'empêcher de penser à tous ces soldats, prisonniers des tranchées depuis plusieurs mois, et qui se battaient pour une cause que la plupart d'entre eux avaient sûrement oubliée.

Frissonnant, il tourna, dévalant encore la longueur d'un pâté de maisons, et descendit alors en roue libre jusqu'au bâtiment qu'il cherchait : le quartier général du service de renseignement de l'armée de terre. C'était un hôtel particulier construit en pierre blanche et entouré d'une solide clôture.

À l'intérieur de cette clôture, des soldats français patrouillaient dans ce qui avait dû être, autrefois, un jardin magnifique. Leurs capotes, bleu horizon, étaient recouvertes d'une pèlerine. Mais leurs casques, caractéristiques avec leur petit cimier — ainsi que leurs fusils —, les identifiaient comme étant des gardes.

Bien qu'ils aient été obligés de rester dehors sous la pluie, Indy avait le sentiment que ces soldats étaient contents d'être à Paris plutôt qu'au front. Là-bas, dans les tranchées, ils seraient probablement englués dans la boue jusqu'aux genoux. Et puis il existait toujours le danger qu'un obus perdu les enterre à jamais dans cette boue.

Indy songea que lui, au moins, était content d'être à Paris. Après avoir suivi pendant des mois les campagnes militaires d'Afrique, il était impatient de quitter les coulisses et de participer plus activement à cette guerre en revenant sur le front.

Toutes les armées alliées tournaient autour de

l'axe qu'était devenu Paris, et tous les commandants alliés observaient les conseils donnés par le service de renseignement français.

Maintenant qu'il avait reçu l'ordre de rallier l'hôtel particulier devant lequel il se trouvait, Indiana Jones faisait partie du club des grands espions. Il était impatient de rencontrer l'officier qui devait lui donner ses ordres. Les plans concoctés par le service de renseignement français entraîneraient des conséquences sur l'ensemble de la guerre.

Il s'arrêta devant le portail de l'hôtel et présenta ses papiers officiels. Pendant que le garde les vérifiait, il observait les gouttes de pluie qui tombaient de ses moustaches hirsutes de « poilu ».

— Je devrais me laisser pousser une moustache, se dit Indy, peut-être pour la centième fois. Peut-être aurais-je l'air plus âgé, ce qui risquait d'être utile pour un capitaine de l'armée qui n'avait pas encore fêté son dix-huitième anniversaire.

Puis Indy se souvint de la dernière fois où il avait essayé de le faire, et des quelques poils raides qui avaient poussé sous son nez, lui donnant l'air ridicule. Ses amis le lui avaient d'ailleurs clairement fait savoir.

Ses pensées furent interrompues par l'arrivée au portail d'un cabriolet Delahaye étincelant. Indy jeta un regard furtif par-dessus son épaule sur les deux personnes habillées de kaki assises dans la voiture.

— Des officiers britanniques, certainement, se dit-il. Il porta à nouveau son regard droit devant lui et fit semblant de ne pas entendre le coup de klaxon du chauffeur, qui exigeait le passage.

— Voici vos papiers, capitaine Défense, dit le garde.

Indy les prit et recommença à pédaler dans l'allée qui menait à l'entrée de l'hôtel.

« Défense » était le nom qu'il s'était donné lorsqu'il s'était enrôlé, car il sonnait plus belge que le nom de « Jones ». Il avait rapidement fait carrière ; en moins d'un an, il était devenu agent spécial, au lieu de simple messager.

Indy n'avait fait que la moitié du chemin lorsqu'il entendit la voiture rouler derrière lui.

— Évidemment, le garde ne s'est pas donné la peine de demander leurs papiers à des officiers qui voyagent dans une voiture de luxe, grommela-t-il.

Le cabriolet arrivait en trombe, essayant de forcer Indy à quitter l'allée.

— Malotru! dit le chauffeur entre ses dents.

C'était difficile de ne pas tomber de vélo. Les branches mouillées des arbustes qui bordaient l'allée giflèrent l'imperméable d'Indy, tandis qu'il donnait un coup de guidon pour essayer de maintenir son équilibre.

Mais ce n'était encore rien. Le passage de centaines de voitures avait fait disparaître le gravier de l'allée. La pluie s'était mélangée avec la terre, maintenant à nu, et l'ensemble formait une large flaque de boue. Les roues de la voiture atteignaient exactement le centre de la flaque quand Indy se trouva aspergé par une gerbe d'eau sale. Il freina et ferma les yeux sous la douche d'eau froide. Il n'était pas seulement trempé, il sentait aussi un filet de boue lui couler entre le cou et le col de son uniforme.

Décidément, où qu'il se trouvât pendant cette guerre, la boue et le bourbier l'attendaient. Lorsque Indy ouvrit les yeux, la Delahaye était garée dans la cour de l'hôtel particulier. Les deux personnes vêtues de kaki avaient déjà gravi l'escalier de pierre et on les saluait à la porte.

Indy serra les dents, lançant un regard furieux vers les deux hommes qui faisaient leur entrée comme s'ils étaient membres de la famille royale. Il avait suffisamment subi l'arrogance aristocratique des Anglais lorsqu'il allait encore à l'école. La guerre n'avait pas rendu ces officiers plus polis envers ceux qu'ils considéraient comme de

« classe inférieure » et qui, cependant, étaient indispensables pour le bon fonctionnement des services d'une armée.

— Avec des alliés comme ça, on n'a plus besoin d'ennemis, grommela Indy.

CHAPITRE 2

Le colonel Belmond, du service de renseignement, était debout, tournant le dos à la fenêtre de
son bureau, ignorant du temps gris qu'il faisait
dehors.
À la porte, l'aide de camp du colonel, le major
Delon, introduisait dans le bureau deux jeunes
officiers habillés de kaki.
— Par ici, lieutenants, dit-il.
Pour le colonel Belmond, les jeunes hommes
semblaient incongrus dans leur uniforme. Avec
leurs beaux visages et leurs cheveux sombres soigneusement lissés, ils auraient très bien pu figurer
dans un illustré de mode, arborant peut-être la
tenue de joueurs de polo, ou en habit de soirée ou

en smoking, le tout en buvant du champagne et accompagnés de jeunes filles de la haute noblesse. Le lieutenant qui semblait le plus âgé enlevait maintenant les gants de cuir qu'il avait mis pour conduire, les rangeant dans son képi, et regarda le colonel avec impatience.

— Messieurs, dit le colonel Belmond, le président Poincaré et notre Premier ministre, monsieur Briand, ont examiné votre proposition avec intérêt.

— Eh bien?

Le lieutenant jouait nerveusement avec ses gants et son képi.

— Ils estiment que votre plan comporte des risques, déclara le colonel. Mais ce plan est téméraire et brillant, ajouta-t-il avec un sourire furtif. Ils ont donc pleinement donné leur accord, car ils pensent que vous avez une chance de réussir.

Les deux jeunes officiers poussèrent des cris de joie et se donnèrent de grandes tapes sur les épaules. Le colonel Belmond s'avança pour leur serrer la main. Il souriait devant ces démonstrations de joie quelque peu déplacées dans ce bureau où le strict protocole de l'Armée était respecté à la lettre.

— Nous allons boire à votre réussite. Major, à boire, s'il vous plaît!

— À vos ordres, colonel.

Le major Delon était déjà devant le placard à boissons.

— Cognac?

Le lieutenant le plus âgé accepta le verre.

— C'est une nouvelle fantastique. Colonel, n'oubliez surtout pas de remercier le président et le Premier ministre de notre part.

Il s'exprimait comme s'il avait l'habitude de fréquenter les plus hautes personnalités du pays. Le colonel Belmond leva son verre.

— Messieurs, que Dieu vous aide et fasse que vous arriviez à bout de votre mission!

— À votre réussite! dit le major Delon.

Les hommes buvaient comme de vrais soldats, vidant leur verre d'un seul trait. Posant le sien, le lieutenant le plus âgé, apparemment le porte-parole des deux, se tourna vers le colonel. Ses yeux brillaient d'excitation.

— Quand partirons-nous?

— Tout de suite, répondit le colonel Belmond. Vous allez avoir des faux papiers et des tenues de camouflage...

Le plus jeune, dont les traits étaient légèrement plus fins que ceux de son aîné, coupa la parole au colonel Belmond et ajouta d'un ton animé :

— Des faux papiers et des tenues de camouflage!

17

Souriant de l'enthousiasme du jeune homme, le colonel continua sa phrase.

— Et, bien sûr, un agent secret.

— Un agent secret? répéta l'aîné en se penchant en avant.

Ses yeux montraient le même enthousiasme.

— Un espion? dit-il tout bas, en jetant un petit coup d'œil de côté.

— Exactement, dit le colonel Belmond, et, se tournant vers le major Delon : Major, faites entrer le capitaine Défense.

Souriant largement, les deux frères essayaient de dissimuler leur enthousiasme. Le plus jeune, cependant, n'y parvenait pas.

— Tu te rends compte, Sixtus, s'écria-t-il, un espion rien que pour nous! Si ces dames du club le savaient...

Sixtus émit un petit rire.

— Xavier, je parie qu'il s'agit d'une véritable brute. Un grand type, grossier, avec des poignards dans ses bottes, une cicatrice en travers de la gorge... et des yeux impénétrables, aussi noirs que du charbon.

— Et il lui manque probablement une oreille, ajouta Xavier. J'ai hâte de le rencontrer.

Leurs rires s'arrêtèrent brusquement quand le major Delon fit entrer Indiana Jones, suivi d'une large traînée d'eau.

— Il ne peut s'agir de notre espion, balbutia Sixtus. C'est certainement une erreur.

— Non, ce n'est pas une erreur, dit le colonel Belmond.

— Un espion, vraiment? dit Xavier. Mais il est tellement jeune!

— Nous l'avons doublé dans l'allée lorsque nous sommes arrivés.

Sixtus regardait les bottes pleines de boue d'Indy.

— Nous avons pensé qu'il était le garçon de courses.

Indy tira le képi de dessous son imperméable, montrant du doigt le petit pompon couleur d'or. Il ouvrit alors son imperméable, laissant apercevoir deux petites étoiles d'or sur sa tunique. Il se rendait compte, en les voyant de près, que ces officiers portaient comme lui l'uniforme belge, et non l'uniforme britannique.

Indy regardait d'une manière insistante les uniques étoiles d'argent sur le col de leurs tuniques.

— Quoi qu'il en soit, pour vous, je suis un garçon de courses avec rang de capitaine, sous-lieutenant, dit-il, et, sauf s'il s'agit d'une mascarade, vous me devez le salut militaire.

— Non mais, capitaine! dit le colonel Belmond avec humeur, jetant un regard anxieux vers ses hôtes aristocratiques.

— Non, je vous en prie, il a parfaitement raison.
Sixtus exécuta un salut parfait, puis regarda son frère Xavier, qui était encore sous le choc. Il fallut que son frère lui fasse signe pour qu'il finisse par saluer. Indy leur rendit sèchement leur salut.

— Acceptez nos excuses, capitaine, dit Sixtus avec un certain embarras.

Les sourcils froncés, le colonel Belmond observait cet échange de politesses.

— Vous n'avez apparemment aucune idée de l'identité de ces officiers, dit-il finalement.

— Deux officiers de grade inférieur? insinua Indy.

Il pensait qu'ils avaient l'air d'un duo de riches crétins qui avaient décidé qu'un bel uniforme impressionnerait les filles des cabarets et qui n'avaient aucune idée de ce qu'était la vie dans les tranchées, ni même au front.

Le colonel Belmond fronçait de plus en plus les sourcils.

— Vous êtes en présence du prince Sixtus et du prince Xavier de Bourbon-Parme, qui sont frères.

— Vraiment enchanté, dit Indy avec désinvolture.

Le colonel jeta un coup d'œil vers ses visiteurs royaux.

— Ils représentent en fait la raison de votre convocation ici. Une tâche très délicate vous est assignée.

— Vous comprenez, dit Xavier plus fort, notre sœur, l'impératrice Zita d'Autriche...

Indy haussa les sourcils et dit :

— C'est embarrassant, compte tenu que nous sommes en guerre contre l'Autriche.

— Vous connaissez tous la situation, ajouta le colonel Belmond en montrant la carte piquée au mur. Nos ennemis, les forces de l'Axe — l'Allemagne, l'Autriche-Hongrie, la Bulgarie et la Turquie — occupent le centre de l'Europe. Ils ont en face d'eux, à l'ouest et au sud, la France, la Grande-Bretagne, la Belgique et l'Italie. À l'est se trouve la Russie, qui est coupée de nous.

Il fit un geste large pour englober les nations ennemies.

— Tel que les choses se présentent actuellement, l'empereur allemand et ses alliés peuvent déplacer très rapidement leurs troupes, compte tenu de leur position centrale, et bloquer toutes nos attaques.

La main du colonel Belmond se posait sur l'Autriche-Hongrie, car l'Autriche était la clef de voûte, le lien entre l'Allemagne, au nord, et ses alliés, au sud et à l'est.

— Et notre sœur a réussi à nous faire parvenir en secret, récemment, une lettre, expliqua Xavier. Elle nous demande de venir à Vienne le plus rapidement possible. Il semble que son époux, l'empereur Charles, désire négocier une paix séparée par rapport à l'Allemagne.

Indy regarda tour à tour les princes et le colonel.

— Cela couperait l'herbe sous les pieds de l'empereur et lui forcerait la main pour terminer la guerre.

Xavier fit un signe de tête affirmatif.

— L'Allemagne serait obligée de céder. Elle n'aurait pas le choix.

Indy se tourna vers le colonel.

— Quelle sera mon rôle dans cette histoire ?

— Vous devrez escorter les lieutenants Sixtus et Xavier à Vienne, répondit le colonel Belmond. Là-bas, ils rencontreront en secret l'empereur Charles pour obtenir par écrit certaines concessions exigées par notre gouvernement. Puis vous ramènerez les frères sains et saufs en France... avec la lettre.

Le prince Sixtus se pencha vers Indy et le regarda droit dans les yeux.

— Si nous réussissons, la guerre sera rayée d'un trait de plume... sans autre coup de feu, et sans perdre d'autres vies humaines. Êtes-vous intéressé ?

Indy regardait à nouveau la carte — le front de l'Ouest, connu sous le nom de « ruban de la mort ».

Il ébaucha lentement un sourire et hocha la tête en signe d'assentiment.

La gare de Lyon était immense et bruyante. C'était l'une des gares les plus importantes de Paris.
Les quais étaient bondés en raison de la guerre. Les porteurs charriaient les bagages de jeunes officiers en route vers le front. Les locomotives crachotaient leur fumée. Le sifflement des machines, les sonneries et les milliers de conversations résonnaient contre le toit voûté de la gare. Indy attendait, tout en examinant les voyageurs qui se précipitaient vers les voitures. Enfin, il vit venir vers lui le colonel Belmond et le major Delon. Mais lorsqu'il aperçut Sixtus et Xavier, il se sentit démoralisé. Comme prévu, les trois membres de la mission secrète étaient en vêtements civils, mais les habits des princes étaient presque aussi voyants que des uniformes militaires.
Indy portait une lourde veste de tweed ceinturée, un épais pantalon de laine, des bottes de randonnée et, bien entendu, son feutre mou, qui lui portait bonheur.
Xavier avait jeté sur ses épaules un pardessus gris

à col de velours. Son costume noir était d'une coupe parfaite, ainsi que son gilet gris croisé. Avec son chapeau mou et son nœud papillon dont les bouts flottaient juste un peu trop, il semblait tout droit sorti d'une gravure de mode.

Sixtus était, lui, vêtu d'un costume à carreaux, d'un genre qu'il considérait probablement comme vulgaire, avec un manteau de polo en cachemire ocre, ainsi qu'un chapeau mou.

Les deux hommes portaient des chaussures délicates, faites main, qui ne dureraient pas un kilomètre s'ils devaient marcher dans la campagne.

Indy hocha la tête.

C'était donc cela qu'un prince considérait comme des vêtements passe-partout.

Xavier donnait l'impression d'être le propriétaire de la moitié des banques de Vienne.

Quant à Sixtus, bon, il avait fait un effort, mais le résultat n'était pas probant. La cravate qu'il portait devait avoir coûté l'équivalent de ce qu'un ouvrier gagnait en un mois. De plus, l'épingle en or de la cravate en question aurait pu faire vivre le même ouvrier pendant une année entière.

Le colonel Belmond prit la parole.

— Voici vos papiers, dit-il.

Indy se retourna pour prendre le paquet du colonel.

— Il s'agit de faux fabriqués par un expert, et qui ne vous poseront pas de problèmes jusqu'en Autriche.

Le major Delon fit un signe de tête affirmatif.

— Dès que vous aurez passé les frontières, vous allez être contacté par notre agent, qui vous donnera d'autres instructions. Il vous faudra, bien sûr, les suivre à la lettre.

— Agent? demanda Indy, tout en rangeant les papiers dans une poche intérieure de sa veste.

— Schultz, dit le colonel.

Indy soupira. Comme si ce n'était déjà pas assez de partir en mission dangereuse avec deux parfaits amateurs! Il fallait en plus que son supérieur donnât dans le mystère.

— Comment trouverai-je ce... Schultz?

Le major Delon se pencha à son oreille et dit tout bas :

— C'est Schultz qui vous trouvera.

Derrière eux, leur train sifflait. Indy fit monter les deux princes.

Leur visage irradiait l'exaltation de la grande aventure. Indiana Jones résistait à l'envie de les secouer pour leur donner l'air moins stupide.

Puis il se souvint comment il s'était senti lui-même — et l'air qu'il avait — lorsqu'il était parti pour la première fois à la guerre. Il avait tellement changé depuis ce jour-là !

— C'est bien, se dit-il. Ils apprendront bien assez tôt.

CHAPITRE 3

Tandis que le train avançait en haletant à travers la campagne française et que la verdure printanière défilait sous leurs yeux, les horreurs de la guerre semblaient à des années-lumière. C'est ce que Sixtus et Xavier semblaient penser, en tout cas, au grand regret d'Indiana Jones.

Indy essaya de dormir — il avait appris le secret de tous les soldats, c'est-à-dire piquer un petit somme dès qu'il le pouvait. Mais ce n'était pas facile. Les princes discutaient à haute voix de cabarets, de grands bals et de réceptions données en l'honneur de leur famille.

Indy se résignait à rester éveillé lorsqu'ils arrivèrent aux confins des Alpes. Xavier pérorait à propos de ski pratiqué à Gstaad. Puis il entama

27

une longue histoire de scandale au sujet de gens dont Indy n'avait jamais entendu parler — le duc et la duchesse de Machin ou de Truc.

C'était plus qu'il ne pouvait en supporter. Mettant les doigts dans sa bouche, il lâcha un sifflement aigu.

— Il faudrait bien comprendre une chose, dit-il tandis que les frères royaux le regardaient, la bouche ouverte de stupéfaction, nous ne sommes pas en vacances. Cette affaire est très sérieuse, voyez-vous.

Sixtus rougit.

— Je ne pense pas que vous ayez besoin de nous le rappeler.

— Je pense, au contraire, que c'est nécessaire, répondit Indy carrément. Regardez-vous donc, vous êtes habillés comme une paire de dandys parisiens en route pour le casino. Vous croyez que vous allez passer incognito ainsi déguisés !

Les frères se regardèrent et s'examinèrent comme s'ils remarquaient pour la première fois ce qu'ils portaient. Puis Xavier dit gentiment :

— Vous ne nous aimez pas beaucoup, hein !

— Je n'aime pas qu'on prenne les choses à la légère. Dans ce métier, cette attitude mène à la mort.

Indy avait le regard sévère. Comment expliquer

sans autres ambages la réalité du travail à ces boy-scouts attardés qui n'avaient aucune idée du danger auquel ils allaient bientôt s'exposer?

— Si nous sommes pris en Autriche, de l'autre côté du front, sans nos uniformes et en vêtements civils, nous serons considérés comme des espions, prince. Il ne faut pas s'attendre à être traités comme des officiers ou des gens de qualité — et votre attitude est irréfléchie et extrêmement dangereuse.

— Vous pouvez penser que nous sommes frivoles, capitaine, dit Xavier avec hauteur, mais laissez-moi vous dire que mon frère a pris une part active aux affaires publiques à Paris. Et ce n'était pas facile, si l'on pense aux lois promulguées à l'encontre des membres de notre famille.

— Il existe des lois à l'encontre de votre famille? Indy pouvait à peine s'empêcher de rire.

— Qui êtes-vous? Des agents allemands? Des ennemis publics?

— Pour certaines personnes, nous sommes presque des malfaiteurs, reconnut Sixtus. Nous sommes des Bourbons, les descendants de l'ancienne famille royale française. La France est une démocratie maintenant, et beaucoup de Français désirent qu'elle le reste.

— Vous pouvez donc penser que nous sommes

frivoles, dit Xavier, mais l'engagement que nous avons pris de mettre fin à cette guerre ne l'est pas.

— Oh, les pauvres petits garçons riches ! Personne ne les prend au sérieux ! pensa Indy en les fusillant du regard.

— Écoutez, vous deux. Moi, je l'ai vue, l'horreur dont vous parlez. Les Flandres, Verdun, le Congo.

Il cligna des yeux, essayant de chasser les images de trop de compagnons morts.

— Qu'est-ce que vous avez vu de l'horreur, dans les cabarets parisiens ?

— Les uniformes que nous portons ne sont pas uniquement pour donner le change, dit Sixtus. Mon frère et moi sommes brancardiers, et nous aidons à transporter les blessés loin du front, là où ils sont plus en sécurité.

Xavier frissonna.

— Nous avons vu comment des hommes bien vivants sont hachés comme de la chair à saucisse par les obus de l'artillerie et les mitrailleuses. Notre sœur est également très touchée par les événements actuels.

Il se tourna brusquement vers son frère.

— Sixtus, montre-lui la lettre !

D'une poche intérieure de son costume, Sixtus extirpa une feuille de papier pliée, qu'il tendit à Indy, qui commença à lire la lettre à haute voix.

— « Ne pensez pas qu'à vous-mêmes ! Songez à tous ces gens qui vivent dans l'enfer des tranchées, mourant tous les jours par milliers, et dépêchez-vous d'arriver jusqu'à Vienne ! »

Indy pensa à son ami Rémy Baudouin, qui était toujours au front, prisonnier de l'enfer dont l'impératrice parlait. Un petit sourire lui vint aux lèvres pendant qu'il glissait une main dans sa poche.

— Je commence à aimer votre sœur.

Sa main sortait maintenant de sa poche, tenant une allumette qu'il enflamma d'un petit coup sur l'ongle de son pouce. Tranquillement, il mit le feu à la lettre de l'impératrice. Sixtus se leva d'un bond, essayant d'attraper la feuille qui brûlait.

— Non mais, s'écria-t-il, comment osez-vous faire une chose pareille ? N'avez-vous donc aucun égard vis-à-vis de notre famille ?

Indy ramena à lui la feuille calcinée.

— Que pensez-vous qu'il arrivera si nous sommes fouillés à la frontière et qu'ils découvrent ceci ?

Sixtus se tut brusquement et vint s'asseoir.

— Nous n'y avions pas pensé, dit Xavier d'une petite voix.

— Eh non, vous n'y avez pas pensé ! dit Indy, sarcastique.

Le papier était maintenant réduit en cendres. Il

rassembla les débris et les jeta par la fenêtre ouverte.

— Il vaut mieux que vous commenciez à réfléchir si vous voulez sortir entiers de cette aventure.

CHAPITRE 4

Une heure après le passage de la frontière suisse, Indy prit un bout de ficelle dans sa poche. Il noua les deux bouts pour en faire un cercle, le passa entre ses mains et commença à jouer avec.
Pendant qu'il faisait des figures de plus en plus difficiles, les frères royaux parlaient de leur besogne de guerre.
— Nous avons essayé de nous enrôler dans l'armée française, expliquait Xavier. Sixtus dit qu'un Bourbon est toujours français. Mais la loi nous a empêchés de le faire, justement parce que nous sommes des Bourbons.
— Donc, vous vous êtes rabattus sur l'armée belge?
Indy se rappela comment il était entré fraudu-

leusement au service de ce pays, et sous un faux nom. À eux trois, ils pouvaient faire une bonne affiche de recrutement : « NOUS PRENONS N'IMPORTE QUI. »

Il souriait.

— Et là, il n'y avait pas de loi vous empêchant de vous enrôler ?

— Eh bien... notre cousin Albert a dû intervenir, admit Xavier.

— Votre cousin Albert ? demanda Indy.

— Le roi des Belges, expliqua Sixtus.

Indy releva la tête, délaissant la figure qu'il était en train de faire avec sa ficelle.

— Votre cousin Albert est le roi des Belges ?

Les frères firent signe que oui. Indy continua :

— Et votre sœur Zita est l'impératrice d'Autriche...

— Elle a épousé Charles quelques années avant la guerre, dit Sixtus. Il n'était alors qu'archiduc. J'ai lu des rapports sur son service militaire. C'est un homme valeureux, même s'il appartient à l'ennemi.

Pendant qu'il écoutait leur histoire, Indy continuait à jouer avec sa ficelle. Mais cette maudite ficelle faisait des nœuds.

— Y a-t-il une tête couronnée en Europe dont vous n'êtes pas parents ? demanda-t-il finalement.

Xavier fit la moue.

— Il va falloir que je réfléchisse. Je pense que nous sommes tous parents d'une manière ou d'une autre, soit par le sang, soit par alliance.

Indy roulait des yeux.

— Vous n'allez pas me dire que vous êtes également apparentés avec l'empereur d'Allemagne?

Xavier se tourna vers Sixtus, qui haussa les épaules.

— Je n'en suis pas sûr, dit Sixtus finalement. Il se peut que nous soyons parents avec le tsar Nicolas; du côté de notre arrière-grand-mère...

Les nœuds coupaient les doigts d'Indy. Il regarda les frères.

— Que vient faire le tsar de Russie dans cette affaire?

— Lui et l'empereur allemand sont cousins, dit Xavier pour aider. Comme le roi Georges d'Angleterre.

Regardant le gâchis des nœuds de sa ficelle, Indy l'arracha de ses mains et la jeta.

— Le monde entier est en guerre, et tout cela parce que les membres de votre famille ne s'entendent pas entre eux, accusa-t-il en hochant la tête. Je vais dormir, messieurs. Je vous conseille d'en faire de même. Nous ne savons pas ce qui nous attend en Autriche.

Comme le train s'arrêtait au point de contrôle frontalier, le contrôleur les réveilla.

Indy, Sixtus et Xavier ouvrirent la porte du wagon et trébuchèrent dans le noir.

Un soldat s'avança dans la lumière de la porte et Indy fit presque un bond en arrière. L'uniforme de l'homme était gris, de la même couleur que celui des Allemands. Puis Indy remarqua le képi démodé juché sur la tête du soldat.

Bien sûr, il s'agissait d'un membre de la milice suisse. La Suisse avait mobilisé presque tous ses citoyens bons pour le service afin de protéger sa neutralité.

— Par ici, dit le soldat.

Lorsqu'ils eurent rejoint la foule des voyageurs, Indy dit tout bas aux princes :

— Rappelez-vous, nous ne nous connaissons pas.

Ils se séparèrent et se mélangèrent à la foule qui avançait lentement.

Le train, vidé de ses passagers, passa gentiment la frontière. Indy observait un escadron bien entraîné de soldats de cavalerie qui entrait dans le train pour fouiller les compartiments.

De chaque côté des rails, une haute clôture marquait la frontière. Elle aurait déjà été difficile à franchir même sans les barbelés dont était couvert le sommet.

La lumière des projecteurs venant de l'autre côté de la clôture aveugla Indy.

Le train était en pleine lumière, et le faisceau balayait la foule. Quelqu'un qui voulait fuir l'Autriche devait non seulement escalader la clôture, mais également éviter les projecteurs, puis se protéger des balles qui seraient certainement tirées.

La file des voyageurs avançait lentement lorsque les policiers de la frontière commencèrent à examiner les papiers. Xavier était déjà passé de l'autre côté sans problème, constata Indy lorsqu'il tendit ses papiers à un sergent au visage rubicond. Après que celui-ci lui eut fait signe de passer, Indy fit un clin d'œil au jeune prince.

Il ne montra pas sa peur jusqu'à ce qu'il se retourne pour regarder le passage.

Sixtus se trouvait maintenant à côté du sergent.

— Ce sont vos papiers, mein Herr? demanda le soldat.

— Bien sûr que ce sont mes papiers.

Sixtus parlait comme un homme qui aurait eu affaire pendant des années à des maîtres d'hôtel difficiles.

— Je vous assure qu'ils sont en règle. Bon, si vous voulez bien me laisser passer...

Au lieu de cela, le sergent se retourna vers une

grande et mince silhouette vêtue d'un trench-coat, qui se tenait derrière lui.

Indy ne pouvait pas voir la figure de l'homme sous les larges bords de son chapeau noir, mais il connaissait le genre. Il s'agissait sûrement d'un officier de la police secrète autrichienne.

La silhouette s'avança et d'autres ombres, également vêtues de noir, semblaient sortir du néant.

— Écoutez... commença Sixtus.

Mais il fut rapidement entouré et emmené par la police secrète et les soldats.

L'escadron qui avait pratiqué la fouille du train en avait maintenant terminé et ressortait en masse. Le dernier soldat à descendre se tourna vers les voyageurs.

— Tout est en ordre ! cria-t-il. Vous pouvez monter.

Tous se dépêchèrent de retrouver leurs compartiments, mais Indy traînait et restait en arrière. Heureusement, car il arriva juste à temps pour attraper le bras de Xavier avant que le jeune prince puisse atteindre le passage pour rejoindre son frère.

— Ils l'emmènent avec eux, dit Xavier tout bas, souffrant le martyre. On doit faire quelque chose.

CHAPITRE 5

Indy réussit à traîner Xavier à bord du train et jusque dans leur compartiment. Le jeune homme s'effondra sur son siège tandis que le train commençait à avancer.

— Mon frère, mon pauvre frère! Que vais-je raconter à ma sœur? Et à ma pauvre mère?

Indy ne savait que dire. Rien n'aurait pu être tenté. Xavier n'aurait réussi qu'à les faire tuer aussi, et personne n'aurait pu terminer leur mission.

— Tu pourras toujours leur dire que ces idiots, à la frontière, m'ont pris pour quelqu'un d'autre, cria une voix à l'entrée du compartiment.

Sixtus était là, souriant.

— Sixtus! Nous pensions que tu étais fichu!

39

Xavier bondit pour embrasser son frère.

— C'est ce que je pensais aussi, admit Sixtus. J'ai été fouillé.

Il regarda Indy.

— Dieu merci, vous aviez brûlé la lettre.

Indy, cependant, ne se sentait pas soulagé. Il s'appuya contre les coussins et fronça les sourcils. Sixtus le regardait anxieusement.

— À quoi pensez-vous?

— Pourquoi nous arrêter juste à la frontière? dit-il lentement. Pourquoi ne pas nous prendre en filature jusqu'à Vienne et briser ainsi tout le réseau d'espions?

Les frères se turent pendant un long moment, car la remarque produisait son effet.

— Mais nous l'aurions certainement remarqué, après tout ce temps, si quelqu'un nous avait filé.

Indy observa que Sixtus parlait bas malgré sa protestation.

— Encore heureux, se dit Indy, car la porte du compartiment venait de s'ouvrir brusquement.

Une petite femme rondouillarde se trouvait dans l'entrée. Elle portait un costume de voyage qui devait dater d'au moins vingt ans. Des yeux bleus globuleux les fixaient, au-dessus de joues plutôt rondes et empâtées.

De l'échancrure de son manteau jaillirent de

petits yeux noirs qui jetaient des regards furieux dans leur direction. Ces yeux étaient ceux d'un petit teckel que la femme transportait sous son manteau.

— Bon sang, se dit Indy, cette bête ressemble à un gros rat !

— *Guten Abend!* dit la femme.

Les trois hommes répondirent par un bref signe de tête.

— Bonsoir, répondit Xavier en allemand.

— Cette place est-elle occupée ? demanda-t-elle, indiquant la place vide à côté d'Indy.

Pendant qu'elle s'asseyait, le petit monstre essayait de mordre le coude d'Indy.

— Doucement, Schatze !

Le silence se fit dans le petit compartiment. Il était hors de question de discuter de leur mission devant une étrangère — et encore moins devant quelqu'un qui pouvait facilement être une espionne de la police secrète.

Finalement, Sixtus et Xavier s'endormirent. Indy resta éveillé durant un long moment, regardant de temps en temps furtivement la personne assise à côté de lui.

Comment un visage si bouffi pouvait-il sembler si sévère ? À la fin, Indy s'assoupit, malgré l'hostilité qu'il devinait dans les yeux en boutons de bottine du petit Schatze.

Il fut réveillé par un cliquètement sec. De l'autre côté du compartiment, Xavier et Sixtus remuaient ; leur sommeil était agité, mais ils dormaient. Mais la voyageuse était complètement éveillée, observant tout le monde de ses yeux écarquillés.

Le cliquetis était celui des aiguilles à tricoter de la femme, en train de confectionner un ouvrage informe et non identifiable.

Des rangs et des rangs de mailles quittaient ces fichues aiguilles, avec ce genre de précision particulièrement éprouvant pour les nerfs. C'était une véritable machine à tricoter, et Indy était très perplexe, car il n'avait pas encore pu découvrir ce qu'elle tricotait. Le train arrivait alors à Amstetten, leur destination.

Sixtus et Xavier se trouvaient sur le quai, semblables à des touristes égarés. Indy, les mains dans les poches, surveillait discrètement l'entrée de la gare.

— Que fait-on maintenant ? demanda Sixtus.

— Nous prenons contact avec Schultz, ou plutôt il prend contact avec nous.

Indy continuait son observation discrète.

— Je me demande quelle tête il a, ce Schultz.

Un grognement rageur se fit entendre derrière eux.

Indy, Xavier et Sixtus firent volte-face et se trouvèrent face à deux paires d'yeux — l'une bleue et saillante, l'autre, celle d'un chien, ressemblant à deux petites perles noires.

La femme du train secoua la tête avec dégoût.

— Je suis Schultz, dit-elle. Venez.

Indy et les princes la suivirent, l'air penaud.

Schultz possédait une gentille petite maison à la campagne, pourvue d'une cheminée carrelée. La première chose qu'elle fit, dès son entrée, ce fut d'allumer du feu. Puis elle demanda les faux papiers des hommes et les brûla.

— Vous pouvez aller vous changer dans la chambre à côté.

Un peu plus tard, elle leur donna de nouveaux papiers.

— Les trois hommes qui sont entrés en Autriche par le train n'existent plus. Maintenant, vous êtes de jeunes soldats autrichiens en permission.

Xavier avait déjà mis son uniforme gris. Il prit le képi d'officier à visière et le campa sur le coin de son œil.

— J'ai toujours pensé que nous devions avoir rang de capitaine.

Sixtus caressait les trois étoiles piquées sur le col de sa tunique.

43

— Lieutenant... Sauf s'il s'agit d'une mascarade, nous avons droit au salut militaire.

Indy, qui était encore en train de boutonner sa tunique (qui n'arborait qu'une seule étoile), serra les dents.

— Ne comptez pas trop sur votre chance, quand même, avertit-il.

Les frères gloussaient encore lorsque Schultz leur donna leurs nouveaux papiers d'identité. À Indy, elle remit, outre ses papiers d'identité, les clefs d'une voiture et un petit bout de papier.

— Prenez la voiture qui est garée dans la remise, dehors, et allez à Vienne, dit-elle. Présentez-vous à cette adresse. Dites que vous êtes des amis de Frederick. Il vous guidera ensuite.

La voiture était une vieille Benz. Elle démarra cependant après quelques tours de manivelle. Indy et les princes partirent en longeant le Danube dans la voiture, respirant l'air vivifiant. Les champs commençaient à montrer de belles couleurs vertes, ainsi que les branches des arbres, dans les forêts. Ils passèrent sur un pont de pierre flanqué de hautes arches, tellement vieux qu'Indy pouvait s'imaginer que des chevaliers en armure l'avaient traversé.

Le pays devenait plus vallonné et ils aperçurent

des vignes. Ils traversèrent ensuite une région tellement boisée que la route ressemblait à un tunnel, avec un toit de verdure.

Au sommet du coteau, ils découvrirent le pays devant eux, étalé en une large plaine. Partout où Indy regardait, il voyait Vienne. Au loin, se trouvait la cathédrale Saint-Étienne, avec son énorme clocher. Des bâtiments officiels de couleur indéfinissable côtoyaient des palais de marbre blanc. Et partout, on pouvait voir les toits couverts de tuiles rouges des maisons des citoyens ordinaires.

Indy souriait à ce qu'il voyait, se souvenant de temps plus heureux.

Il y avait neuf ans que son père l'avait amené dans la capitale autrichienne. Cette visite lui avait apporté son lot d'aventures, appris à parler la langue et lui avait donné une amie très chère, la petite Sophie, qui devait encore beaucoup grandir avant de devenir archiduchesse.

Le sourire quitta les lèvres d'Indy. Sophie avait grandi maintenant. Et son père, l'archiduc François-Ferdinand, avait été le premier à mourir dans cette guerre stupide, tombé sous les balles d'un assassin.

Indy enclencha brusquement une vitesse.

— L'adresse que Schultz nous a donnée est dans la vieille ville, dit-il. Nous allons y arriver tout droit à partir d'ici.

Rapidement, ils se trouvèrent dans une large avenue bordée de bâtiments trop décorés de l'époque baroque. Sixtus et Xavier s'amusaient énormément, assis à l'arrière de la Benz. Ils mettaient la main au képi pour saluer les jeunes filles qui marchaient sur les trottoirs. Xavier essaya de coincer un monocle dans son œil droit.

Indy quittait maintenant l'avenue; les bâtiments devenaient moins grandioses, plus confortables. Les filles étaient habillées plus simplement. Les rues devenaient plus étroites, plus sinueuses aussi, et elles semblaient plus anciennes.

Indy commençait à regretter que Schultz ne lui eût fourni une carte, au lieu d'une simple adresse. Finalement, après un nouveau tournant, il freina brusquement.

La rue dans laquelle il venait de s'engager était très modeste, du genre de celles où les gens vivent nombreux dans des mansardes au quatrième ou cinquième étage.

Mais pourquoi diable était-elle obstruée?

Il regardait la foule et aperçut des uniformes — ceux de la police et ceux, gris, des militaires — qui se glissaient parmi les civils.

Xavier regarda de près le nom de la rue placardé

sur un mur passé à la chaux, et qui commençait à s'écailler.

— Dites, n'est-ce pas là où on devait aller?

Sixtus se dressa sur son siège.

— Je vois l'adresse d'ici.

La porte dont le numéro était bien celui de l'adresse indiquée s'ouvrit, et un homme en uniforme en sortit. Il portait un brancard sur lequel était étendue une forme immobile, couverte d'un drap blanc. C'était le début d'une véritable procession. Avant qu'Indy ait pu compter combien de morts étaient évacués de la maison, un agent de police s'était avancé et leur faisait signe de circuler.

— Que s'est-il passé? demanda Indy.

— Une horrible fusillade, lui répondit-il d'un ton animé. Un vrai carnage, ce fut rapide et terrible! Il se penchait en avant, parlant tout bas.

— On m'a dit que la police secrète avait anéanti un réseau d'espions.

La foule s'ouvrit, laissant sortir un personnage entièrement vêtu de noir.

— Pour des gens de la police secrète, il se font bien remarquer, pensa Indy.

L'agent de police se redressa et, brusquement, commença à gesticuler. Apparemment, il avait remarqué aussi l'approche de l'autre.

— Faites demi-tour, et retournez d'où vous venez... Dépêchez-vous!

Sixtus le regardait avec anxiété.

— Lieutenant, dit-il à Indy, il vaudrait mieux obéir à monsieur l'agent.

Indy passa rapidement la marche arrière.

Pendant que la voiture reculait, il remarqua un autre personnage en noir qui arrivait en sens inverse des badauds curieux. Son trench-coat était usé et il portait un chapeau mou aplati sur son crâne rasé.

Était-il un membre de la police secrète, quoique d'un rang inférieur?

— Si seulement la rue s'élargissait, pour que je puisse tourner, pria Indy.

Au moment où il avait presque réussi à faire son demi-tour, l'homme en noir arriva à sa hauteur.

— Arrêtez la voiture! ordonna-t-il.

Au contraire, Indy appuya sur l'accélérateur. Mais l'homme était très rapide et, avec une vitesse surprenante, il réussit à sauter sur le marchepied et à ouvrir la portière.

Une seconde plus tard, il était dans la voiture. Indy freina brusquement, faisant déraper la voiture. Tout le monde à bord était secoué, et les gens sur les trottoirs commençaient à les regarder. L'homme en noir lui lançait des regards furieux.

— D'abord vous partez, et maintenant vous vous arrêtez. Avancez, idiot!

48

Indy fixait froidement les yeux sombres et enfon-cés de l'homme.

— Je n'en ferai rien.

— Vous êtes des amis de Frederick, *ja?*

— Frederick? Oui, nous connaissons Freder... Aïe !

Sixtus coupa la parole à Xavier d'un grand coup de coude dans les côtes.

— Je veux dire : j'ai connu un Frederick à l'école...

— Je pense que vous faites erreur. Vous vous trompez de personne.

La voix d'Indy était basse et menaçante.

Les yeux de l'intrus quittèrent ceux d'Indy pour surveiller la rue. Son visage émacié se durcit en constatant qu'un agent de police les observait.

— Je suis aussi un ami de Frederick. Avancez, maintenant. Nous sommes en train d'attirer l'attention.

— Nous ne vous connaissons pas, cher monsieur, déclara Indy. Nous n'irons nulle part.

L'homme se rapprocha d'Indy et se pencha vers lui.

La main qu'il avait sortie de sa poche tenait un pistolet Luger de gros calibre. Regardant Indy avec un petit sourire, il déclara :

— Faites-moi confiance.

Avec un pistolet dans les côtes, Indy n'avait pas le choix. L'agent de police s'avançait vers eux, et Indy appuya sur l'accélérateur.

CHAPITRE 6

Indy savait que le pistolet automatique qui était pressé contre ses côtes contenait normalement sept balles. Il savait aussi que, si l'autre appuyait sur la détente, une balle d'un demi-pouce le traverserait à une vitesse fulgurante.

Il fit donc exactement ce que l'étranger qui avait investi la voiture lui dit de faire.

La vieille Benz descendit la rue en direction d'un large boulevard. Sur le siège arrière, Sixtus et Xavier étaient morts de peur. Ils avaient vu le pistolet dans la main de l'homme. Heureusement, la police n'avait rien remarqué. Ils s'étaient détournés lorsque la vieille voiture avait dégagé la rue.

— Qui êtes-vous ? demanda Indy sans remuer les lèvres.

Il essayait de paraître calme, mais il commençait à transpirer.

— Vous pouvez m'appeler Mister Max, dit leur lugubre hôte forcé.

Il surveillait la rue.

— Tournez à droite ! commanda-t-il brusquement.

— Comme vous voudrez.

Indy grimaça de douleur, car le Luger écrasait ses côtes.

— Mais nous ne connaissons toujours pas ce Frederick.

La tête de mort de Mr. Max lui fit un autre de ses sourires.

— C'est vrai ? dit-il. Que veniez-vous faire alors à cette adresse ? Trois gentils soldats comme vous ! N'aviez-vous rien d'autre à faire que de visiter un nid d'espions ?

Indy ne répondit pas, mais de grosses gouttes de sueur perlaient sur son visage.

Leur cerbère, le regard pénétrant sous ses yeux enfoncés, vérifiait qu'ils n'étaient pas filés.

— Tournez à droite ! ordonna-t-il.

Pendant l'heure qui suivit, Mr. Max leur fit visiter en zigzag tous les quartiers pauvres qui entourent le centre de Vienne. Ils les fit même passer sur l'un des ponts suspendus en acier qui traversent le Danube, avant de rebrousser chemin.

Finalement, ils se retrouvèrent dans l'un des faubourgs industriels de Vienne, sur une petite colline d'où on pouvait voir toute la ville.

Indy fut surpris quand Mr. Max lui intima l'ordre de s'arrêter. Leur destination ressemblait à une vieille ferme, bien qu'elle se trouvât au milieu d'une zone hérissée de bâtiments du même genre que ceux que l'on trouve en ville.

Les murs de plâtre grossier de la vieille construction n'avaient pas été blanchis depuis des années, et la crasse des usines avait recouvert le toit de tuiles rouges. Indy ne put lire qu'un seul mot sur l'enseigne miteuse : KAFFEESIEDER.

— Un café?

L'ahurissement de Sixtus indiquait qu'il s'était attendu à trouver une grande bâtisse avec les mots POLICE SECRÈTE sur la porte.

— J'ai pensé que vous aimeriez peut-être boire quelque chose, pendant que moi je m'occupe des détails de l'étape suivante de votre voyage.

Le sinistre individu leur décocha un de ses autres sourires déconcertants, pendant qu'il les faisait descendre de voiture.

L'intérieur du bistrot était aussi sombre et obscur

que l'extérieur était crasseux. La fumée de tabac submergeait la pièce, et Indy fut étonné de constater que l'endroit était plein de monde. Un gros homme, sanglé dans un costume noir graisseux, ieur adressa un salut plein d'onctuosité.

— Herr Otto, dit Mr. Max en souriant, un petit noir pour chacun de mes amis !

— Bien sûr, Herr Doktor Max. Venez, messieurs, asseyez-vous.

Herr Otto les précéda vers une table placée à côté de la fenêtre, et Mr. Max se dirigeait déjà vers le téléphone du café.

Quelques minutes plus tard, quatre petites tasses de café étaient déposées devant eux. Indy ne toucha pas à la sienne, mais tout en se penchant, il essayait d'entendre les mots murmurés par leur ravisseur.

— Oui, je les ai. Dans combien de temps pouvez-vous être ici ?

Mr. Max, s'apercevant qu'Indy écoutait, lui tourna le dos.

— Je n'ai pas du tout confiance dans ce Mister Max, dit Sixtus, tout en examinant avec suspicion le trench-coat miteux du bonhomme.

— Il semble tout savoir sur nous, fit remarquer Xavier, dans un chuchotement plein d'espoir. Et s'il travaillait avec Fredrick ?

Indy, les sourcils froncés, observait les gens autour de lui, étudiant chaque détail, essayant de former un plan. Il peut également appartenir à la police secrète. Il aurait très bien pu obtenir tous ces renseignements de Frederick, sous la torture, après son arrestation.

Le regard inquiet de Sixtus devint méfiant.

— Qu'allons-nous faire?

— Jouer leur jeu. Pour le moment, du moins.

Indy avala distraitement une gorgée de café, regardant par la fenêtre sale. Le café se situait sur l'une des dernières collines d'où une vue sur Vienne était possible. Toute la ville s'étalait en bas dans la lumière du jour qui déclinait rapidement. Derrière les clochers et les toits, le Prater, le parc d'attractions de Vienne, s'illuminait peu à peu. Quelques années auparavant, Indy avait visité les fêtes foraines, là-bas. C'était comme un royaume de fées pour un jeune garçon.

Élément par élément, une grande construction s'illumina. Indy eut un sourire nostalgique. Il s'agissait du Riesenrad, la fameuse grande roue de Vienne.

Lorsqu'il avait visité la ville la dernière fois, il lui avait semblé que celle-ci était le symbole de Vienne. Éclatant, voyant, plus vrai que vrai. Tout le bord extérieur de la roue était maintenant illuminé, et ses rayons s'allumèrent peu à peu.

Malheureusement, Indy fut vite ramené à la Vienne de 1917 lorsque l'homme à tête de mort et au sourire diabolique s'interposa entre la fenêtre et lui.

— Nous autres, Viennois, sommes fiers de notre grande roue, dit Mr. Max. Ils sont bons, ces expressos?

Indy se redressa brusquement et finit sa tasse en hâte.

— Oui, c'est bon.

— Bon, se dit Xavier. Ce prétendu café a le goût d'une écorce d'arbre cuite.

— Surtout, ne le dites pas à Herr Otto, avertit Mr. Max tout bas. Il n'aimerait pas que sa recette soit connue.

Indy remarqua que l'homme jouait avec sa tasse, mais qu'il ne buvait pas.

— C'est la guerre, expliqua Mr. Max en chuchotant. Nous avons de moins en moins de nourriture à Vienne, et elle devient de plus en plus chère. À moins que la guerre ne prenne fin rapidement, les gens vont mourir.

Indy prit conscience du fait que Vienne avait effectivement beaucoup changé depuis sa dernière visite.

— Que faisons-nous alors? demanda-t-il.

— Nous attendons.

Mr. Max repoussa sa tasse.

— Frederick est mort, si vous voulez le savoir.

— Je suis désolé de l'apprendre.

Indy se demanda si lui, Sixtus et Xavier finiraient de la même manière.

La tête de mort en face de lui parut tout à coup fatiguée.

— C'est une triste époque pour l'Autriche, murmura Mr. Max. Notre empire est composé de beaucoup de nationalités. Les luttes internes déchirent le pays. Beaucoup de nos dirigeants estiment qu'il est bien plus efficace — ou plus simple —, de nos jours, de tuer les gens.

Deux hommes en trench-coat passaient la porte du café et se dirigeaient directement vers leur table. Mr. Max se leva vivement.

— Ces hommes s'occuperont de vous. J'espère sincèrement que ce sera terminé rapidement.

L'homme s'inclina ironiquement et les laissa à leur destin. Indy regarda les nouveaux venus sans qu'un seul muscle de son visage bougeât. Les princes et lui représentaient des cibles idéales, coincés à leur table.

Le premier homme en trench-coat avait un visage tendu, couvert d'acné. Il comptait sa monnaie pour payer leurs cafés. Indy remarqua que le prix était terriblement élevé. Herr Otto semblait content, au moins, du pourboire. L'autre nouvel arrivé restait un peu en arrière. Indy prit conscience qu'il les couvrait.

— Venez, dit le premier étranger.

Au fond du café, deux personnes étaient assises au bar. L'une d'elles avait la tête idéale d'une affiche de propagande antigermanique. Ses cheveux étaient coupés tellement court que sa tête, toute ronde, semblait rasée. Un pli de graisse débordait de son cou sur son col. Son monocle brillait dans la lumière tamisée.

L'autre était énorme, corpulent et excessivement musclé — le genre de lutteur qui laisse sans vie tout adversaire. Il avait une oreille en moins et un collier de cicatrices ornait sa gorge. L'Allemand au monocle fit un signe pour désigner Mr. Max.

— Suivez-le, Mabuse.

— *Jawohl,* comte von Büler.

Le gros homme vida son verre de schnaps d'un trait avant de s'éclipser.

Von Büler jeta quelques pièces sur le comptoir, se leva et emboîta le pas à l'autre groupe — celui dans lequel se trouvait le jeune Indiana Jones.

CHAPITRE 7

Le jeune Indiana Jones était assis sur le siège de cuir craquelé de ce qui avait été autrefois une limousine luxueuse. Il ne se sentait pas heureux dans son rôle d'espion.

Les hommes en trench-coat du café l'avaient poussé vers ce véhicule, et forcé à monter. Assis à l'arrière, il remarqua que les vitres avaient été peintes, ainsi que la lunette arrière. Sixtus scrutait la route à travers la paroi de verre qui les séparait du chauffeur.

— Nous n'avons pas tourné, dit-il d'une petite voix aiguë. Pour le palais de Schönbrunn, nous aurions dû tourner ici. Ce n'est pas la route du palais de l'empereur.

Indy frappa contre la paroi jusqu'à ce que le deuxième homme, maigre et pâle, se retourne.

— Hé, ce n'est pas le bon chemin!

Le visage pâle se recala dans son siège, sans un mot. Indy secoua la poignée de la portière, mais elle était bloquée.

Ils continuèrent à rouler pendant un long moment, laissant les lumières de la ville derrière eux.

— Épatant! se dit Indy. Ils ne prendront même pas la peine de nous questionner. Ils nous mènent dans un endroit tranquille pour nous exécuter.

Enfin, la voiture ralentit devant une porte massive, taillée dans un énorme mur de pierre. Un appel de phares, et les doubles portes s'ouvrirent sur une cour sombre et dallée.

— Dès qu'ils ouvrent la portière, nous leur sautons dessus, chuchota Indy. O.K.?

Sixtus hocha la tête affirmativement.

— Tant pis pour les conséquences.

Les hommes en trench-coat débloquèrent la portière. Indy et ses amis se précipitèrent dehors, prêts à attaquer.

Mais leur élan fut de courte durée : ils n'étaient pas seuls. Une douzaine de soldats en grandes capes et casques d'argent surmontés de grandes plumes blanches les entourait, fusils braqués.

Indy se forçait à ne pas regarder les bouches des canons pour essayer de repérer l'endroit.

Derrière la limousine, une grille en acier, et tout autour de lui de hauts murs en pierre. La cour semblait trop petite pour être celle d'une prison, et il se persuadait que les soldats étaient trop bien habillés pour faire partie d'un peloton d'exécution. Peut-être étaient-ils dans l'avant-cour d'un château.

Il décida qu'il valait mieux obéir aux hommes en trench-coat, qui les poussaient maintenant vers une porte basse percée dans l'un des murs et consolidée avec des barres d'acier. De toute façon, avec tous les gardes, lui-même, pas plus que les princes, ne pouvait faire grand-chose.

Indy frissonna dans le passage sombre et dégoulinant d'humidité. La pierre mouillée semblait absorber toute chaleur. L'écho de leurs pas était renvoyé par les murs et le plafond. Indy avait l'impression que le passage amorçait une pente, mais il n'était pas sûr que ce ne fût pas le fruit de son imagination.

Leur escorte silencieuse s'arrêta devant une double porte en bois massif, encastrée dans la muraille. Les hommes en trench-coat s'avancèrent, empoignant les lourds anneaux en acier fixés dans le bois.

Indy entendit, à ses côtés, Sixtus et Xavier

prendre une profonde respiration. Qu'allaient-ils trouver derrière? Une chambre de torture? Des bourreaux?

Les portes s'entrebâillèrent sans bruit. Indy et les princes en restèrent bouche bée. Pendant quelques secondes, ils furent aveuglés par la lumière d'un candélabre en or et d'un chandelier en cristal. Le sol carrelé était recouvert d'un épais et immense tapis oriental. De magnifiques tapisseries couvraient les murs de la pièce.

Une longue table, couverte d'une nappe blanche étincelante, de porcelaine brillante et d'argenterie resplendissante, dominait la pièce. Seules deux personnes étaient assises à la table : une femme jeune avec des cheveux noirs et un port royal, et un jeune homme, en uniforme, dont le beau visage ouvert s'ornait d'une moustache sombre.

— Sixtus! Xavier! cria-t-il. Enfin! Nous avions perdu tout espoir.

Sixtus entrait dans la pièce.

— Nous aussi, Charles, nous aussi.

L'impératrice Zita se leva et se précipita vers ses frères, sa robe blanche voletant autour d'elle. Elle tendit les bras et les referma autour de Sixtus et Xavier. L'empereur Charles tapotait affectueusement le dos des princes.

Indy, en entrant dans la pièce, se sentit de trop au milieu de cette grande réunion de famille. Derrière lui, les portes en bois se fermèrent avec un bruit sourd.

Charles se tourna vers Indy.

— Et qui est ce troisième homme?

Sixtus fit les présentations.

— Capitaine Défense. Notre espion!

— Il a réussi à nous conduire à Vienne, expliqua Xavier. Dieu seul sait ce que nous serions devenus sans lui.

Zita se redressa. Son attitude était en tout point celle d'une impératrice.

— Bravo, capitaine. Nous vous sommes très reconnaissants.

Charles se tourna vers les deux agents restés près de la porte, maintenant fermée.

— Faites venir immédiatement le comte Czernin! ordonna-t-il. Dites-lui que le colis est arrivé.

Le comte Ottokar Czernin était un homme grand, mince et distingué, qui respirait la dignité, qu'il fût en présence de princes ou d'espions. Il était assis dans un lourd fauteuil de la salle de réception, le front plissé et écoutant attentivement. Charles, lui, était appuyé contre le manteau d'une énorme cheminée dans laquelle brûlait un grand feu joyeux.

Zita et ses frères s'étaient installés sur de délicats sièges de bois élégamment sculptés. Indy se tenait debout sur le côté, légèrement en retrait. Il se demandait comment le comte, diplomate confirmé, allait prendre le message des princes. Impossible de lire quoi que ce soit sur son visage. Indy était convaincu que le comte était un redoutable adversaire au poker.

Sixtus, par contre, avait l'air très sérieux en parlant. Le comte prenait des notes.

— Les gouvernements français et britannique désirent faire la paix avec l'Autriche, dit Sixtus, mais seulement si Charles veut bien accorder trois concessions primordiales. Par écrit.

Le comte Czernin hocha la tête, prêt à écrire.

— Lesquelles ?

— Premièrement, dit Sixtus, l'Autriche doit renier tous les droits que fait valoir l'Allemagne envers l'Alsace-Lorraine...

Czernin écrivit en murmurant :

— Et cela annulerait les gains de la dernière guerre entre la France et l'Allemagne, que la France a perdue.

Il releva la tête.

— Continuez.

— Deuxièmement, l'Autriche doit reconnaître la souveraineté belge et consentir à l'évacuation de toutes les troupes allemandes de son territoire...

— Hum, hum.

Czernin continuait à écrire.

— C'est là la raison de ma participation à cette

guerre, pensa Indy, et tout ce que trouve à dire ce personnage, c'est « hum, hum ».

Charles prit la parole.

— Troisièmement, nous devons reconnaître la souveraineté de la nation serbe et donner une patrie aux Polonais, à l'intérieur de nos frontières.

— La Serbie, hein?

Le comte leva la tête des notes qu'il était en train de prendre.

— Nous devons renoncer à notre victoire sur la Serbie, qui a infiltré des agents à notre frontière commune afin de susciter la rébellion dans nos provinces du sud? Est-il nécessaire de vous rappeler que quelques-uns de ces agents ont assassiné votre oncle, l'archiduc François-Ferdinand?

Le comte Czernin demeura silencieux un moment, puis continua :

— Et maintenant nous devons renoncer à la conquête de cet État fauteur de troubles! Nous devons également abandonner des terres et les donner à l'un des peuples qui nous sont soumis!

Charles rougit.

— Je sais qui a assassiné mon oncle : des extrémistes qui ont essayé de saper notre autorité sur les Slaves du Sud. Et il faut que je vous dise, comte, que j'ai servi sur le front russe, et contre les Italiens. François-Ferdinand n'est que l'une des nombreuses victimes de ce conflit. Je suis prêt à faire d'énormes sacrifices pour en finir avec ce massacre.

Czernin baissa la tête.

— Votre Altesse Impériale, vous savez qu'il n'est pas dans mes intentions de vous contrarier. J'ai été le fidèle serviteur de votre grand-oncle François-Joseph — également celui de votre oncle François-Ferdinand... Mais nous ne discutons pas seulement d'une paix avec la France. Il est également question de la rupture de notre alliance avec l'Allemagne.

Le comte releva brusquement la tête.

— Et nous ne pouvons pas prendre cela à la légère. L'empereur peut être un ennemi puissant et redoutable...

Et, se tournant vers Sixtus et Xavier :

— Comme la France et l'Angleterre l'ont déjà appris à leurs dépens.

— Je comprends, comte, dit Charles. Mais il faut mettre les réalités de la guerre en balance avec notre alliance. Il est évident que nous pourrions continuer jusqu'à ce qu'un côté ait complètement écrasé l'autre... Mais à quel prix ?

— C'est l'échec de la diplomatie qui a provoqué ce gâchis ! s'exclama Zita.

Czernin la regarda pendant quelques secondes, silencieux et choqué. Son regard était celui d'un homme aux idées démodées qui considérait qu'il était indécent de la part d'une femme d'avoir une opinion en matière de politique. Il se décida enfin à parler :

— Votre Altesse a une opinion bien arrêtée.

— Mais elle a raison ! s'écria Charles. Regardez la Russie ! Une révolution, mon Dieu ! Le tsar déposé par ses propres sujets ! Et pourquoi ? Parce qu'ils en ont assez de la guerre.

Il regardait son ministre, furieux.

— Si nous voulons éviter la même chose à l'Autriche, la monarchie doit être libéralisée, et nous devons donner au peuple ce qu'il désire : la paix, et à n'importe quel prix.

— Votre Altesse... commença Czernin.

— Ce n'est pas seulement les hommes des tranchées que j'essaie de sauver. Je ne veux pas figurer dans l'histoire comme le dernier empereur d'Autriche... Celui qui a laissé s'effriter dans ses mains une monarchie vieille de mille ans.

Le comte Czernin regarda tour à tour tous ces visages graves et baissa la tête.

— J'écrirai la lettre demain. J'espère que ce sera assez tôt.

— Dès que vous le pourrez, comte. Merci.

Charles se tourna vers ses visiteurs.

— Vous devez être exténués après votre long voyage — pour ne pas parler de vos aventures.

Indy hocha vaguement la tête, tout à coup conscient de sa fatigue. Un serviteur le précéda vers une chambre à coucher située dans une tour. La chambre était exactement telle qu'il se l'était imaginée dans un tel décor. Mais il était trop fatigué pour en admirer le luxe. Tout ce qu'il remarqua fut le lit. Il réussit quand même à ôter ses bottes, mais les boutons de sa tunique d'uniforme, qui n'était pas le sien, représentaient une trop grande difficulté. Il s'affala sur le lit tout habillé, une main cherchant un oreiller, l'autre la lampe.

Au-delà des murs du château de Laxenburg, résidence d'été de l'empereur autrichien, un homme enlevait ses jumelles. La lumière de la fenêtre de la tour venait juste de s'éteindre.

Un sourire de satisfaction illuminait les traits grossiers du comte von Büler, maître espion à Vienne pour le compte de l'Allemagne.

— Bien, bien, pensa-t-il. L'empereur d'Autriche héberge trois espions dans son palais. Des hôtes intéressants. Que peuvent-ils bien faire là?

Il s'installa confortablement pour l'attente.

Ils quitteraient bien le palais à un moment ou à un autre. Et après leur capture, loin de la protection de l'empereur, il pourrait les questionner autant qu'il le voudrait.

CHAPITRE 8

— C'est le mien. Lâche-le !
— Non, c'est toi qui dois lâcher !
Le jeune Indiana Jones se trouvait sur la terrasse du château de Laxenburg et regardait deux enfants se battre pour un cheval de bois peint de couleurs vives. Derrière lui, les serviteurs débarrassaient la table du petit déjeuner.
Devant lui s'étalaient les jardins de Laxenburg — des étendues de pelouse bien entretenue. Indy se demandait quel effet cela pouvait faire de vivre au milieu de son propre parc privé. Mais la politesse lui interdisait de poser la question à l'homme qui se trouvait à ses côtés : l'empereur Charles.
Ce dernier hochait la tête tandis que le petit garçon, vêtu d'un costume marin à culotte courte,

tirait obstinément sur les antérieurs du cheval. Sa sœur, en robe-chasuble blanche, se cramponnait aux postérieurs.

Ils continuèrent leur petite guerre pendant un long moment, jusqu'à ce que le cheval se casse en deux. La petite fille tomba à la renverse et éclata en sanglots.
Sa mère, l'impératrice Zita, accourut, vêtue d'une longue robe blanche.
— Arrêtez ces sottises tout de suite! gronda-t-elle.
La petite fille montra son frère du doigt.
— C'est lui qui l'a cassé!
Son frère aîné serrait l'avant du cheval contre sa poitrine.
— Ce n'est pas moi! protesta-t-il. C'est elle qui l'a cassé.
Zita n'était soudain plus l'impératrice, mais simplement une mère.
— Eh bien, si vous tentiez de partager vos jouets au lieu de vous battre, personne ne l'aurait cassé, et vous auriez pu jouer tous les deux avec le cheval.
Elle portait un regard sévère sur ses enfants.
— Maintenant, vous n'avez plus rien, ni l'un, ni l'autre. J'ai raison, et vous le savez.

Le petit garçon regarda tristement le cheval cassé.

— Oui, mère...

Indy jeta un coup d'œil en direction de l'empereur, tout en faisant des efforts pour s'empêcher de rire.

— Dommage que les nations ne disposent pas d'un adulte pour régler leurs différends!

Charles poussa un soupir.

— Le problème est que les dirigeants — rois, empereurs, présidents — sont censés être des adultes. Cela semblait tellement plus facile à l'époque de mon grand-père. Un petit mot chuchoté à l'oreille d'un cousin, membre d'une maison royale, au cours d'un bal, pouvait forcer une alliance — ou stopper une guerre.

— Espérons que votre beau-frère fera l'affaire, répliqua Indy, bien qu'à cet instant précis il eût bien peu l'air d'une altesse royale!

Le prince Sixtus de Bourbon-Parme était à genoux, bondissant et hennissant comme un cheval. Les cris de plaisir d'un enfant de trois ans, agrippé à son dos, couvraient presque sa voix.

Le prince Xavier, au contraire, avait l'air excessivement digne, une toute petite tasse à thé à la main. Il était assis dans l'herbe et jouait à l'invité dans une réception organisée par deux petites filles. La scène fit sourire Charles.

— C'est bon d'avoir enfin de la famille en visite, dit-il. Il y a si longtemps!

Dans le radieux soleil du matin, Indy remarqua les cernes qui marquaient les yeux de l'empereur.

— Vous semblez fatigué, Votre Altesse. Excusez-moi de vous en faire la remarque.

— Je n'ai pas très bien dormi, avoua Charles. Je ne dors plus très bien depuis que je suis devenu empereur, il y a quatre mois.

— C'est en effet une grande responsabilité, dit Indy.

— Oui, et une responsabilité à laquelle je ne m'attendais pas.

Charles se promenait sur la pelouse.

— Lorsque Zita et moi, nous nous sommes mariés, nous pensions pouvoir vivre d'une manière calme et tranquille parmi la cour royale. Mon oncle, l'archiduc François-Ferdinand, était l'héritier le plus proche du trône... Jusqu'à ce que ce fou l'assassine, et soit à l'origine de cette guerre.

— Des conséquences incalculables pour un seul coup de feu, dit Indy.

— Ce fut comme pousser la manette qui fait démarrer une machine gigantesque, dit Charles en pesant ses mots. Chaque nation était déjà prête pour la mobilisation de ses forces militaires. Et personne ne voulait s'arrêter pour discuter, de peur que les ennemis ne mobilisent en premier et les écrasent.

Il secoua la tête.

— Même l'empereur Guillaume, considéré par tout le monde comme le belliqueux par excellence, a essayé de faire machine arrière au dernier moment. Mais il n'a pas pu arrêter l'engrenage. Et il continue, broyant des millions de vies, soldats et civils.

Pendant une seconde, Indy se demanda s'il allait demander des nouvelles de Sophie, la fille de François-Ferdinand. Était-elle maintenant archiduchesse ?

Mais c'était trop tard, une grande limousine arrivait au portail. Sixtus extirpa le petit cavalier de son dos et se remit debout.

— C'est le comte Czernin ! Allez, tout le monde ! Courons vers la maison !

Avec Xavier, il entraîna la troupe d'enfants vers le palais. La mélancolie envahit le sourire de Charles en entendant les rires enfantins sur la terrasse.

— Je pense que j'aurais aimé une vie calme et tranquille.

Le comte était introduit dans la salle de réception, où les princes, l'empereur, l'impératrice et Indy le rejoignirent. Ouvrant un étui en cuir, Czernin en sortit un papier plié. Charles le lut, puis passa la lettre à Sixtus. Celui-ci en commençait la lecture lorsqu'il regarda Czernin d'un œil perplexe.

— Ce n'est pas du tout ce dont nous avons parlé, protesta Sixtus, agitant le parchemin bistre.

— Nous avons discuté de garanties, pas de platitudes et de peut-être.

— Il existe un langage diplomatique que l'on se doit d'utiliser, répliqua le comte calmement.

— Au diable votre langage, et au diable votre diplomatie! explosa Sixtus.

— Restons calmes!

Charles tentait d'apaiser les esprits.

— Nous n'arriverons à rien comme cela.

Sixtus se laissa tomber sur son siège, l'air renfrogné. Charles prit la lettre.

— Comte Czernin, veuillez excuser l'impétuosité de mon beau-frère...

Les lèvres du diplomate chevronné se décrispèrent un peu.

— ... mais je dois dire que cette lettre est beaucoup plus vague que ce que j'avais espéré, continua Charles.

— Elle est exactement comme elle doit être, Votre Altesse, dit Czernin avec conviction.

— Mais pourquoi donc? demanda Zita.

— On ne peut pas commencer une négociation en donnant tout, sans rien demander, fit remarquer Czernin. Et plus important encore, si l'empereur apprend ce que nous essayons de faire, il nous faut une position de repli.

— Une position de repli !

Sixtus se leva à nouveau d'un bond.

— C'est tout ce que vous autres diplomates avez en tête : couvrir vos arrières.

Le visage de Czernin gardait son calme, mais Indy remarqua l'éclair que lançaient ses yeux.

— Jeune homme, je me soucie moins de couvrir mes arrières, comme vous le dites si vulgairement, que de protéger l'empereur.

Sa voix s'était à peine élevée, mais ce fut comme s'il avait fait claquer un fouet. Le silence envahit la pièce.

Le comte se tourna vers Charles, choisissant ses mots avec précaution.

— Votre Altesse, je vous conseille la prudence. J'ai été aussi explicite dans ma lettre que, je le pense, sage.

Il sortit une plume de sa jaquette.

— C'est maintenant à vous de décider si vous la signez ou non.

Charles regardait la lettre et le comte tour à tour, la mine sévère.

Indy retenait son souffle. L'empereur était supposé être un souverain absolu. Mais Charles n'était qu'un homme. Et celui qui, parmi les membres de son gouvernement, lui inspirait la plus grande confiance l'avait averti qu'un désastre politique pourrait s'ensuivre si la lettre secrète était modifiée.

— Je suis sûr que votre conseil est judicieux, comte, dit Charles en prenant la plume. Bien que je continue à penser que le projet mérite de prendre plus de risques.

Avec un profond soupir, il signa la lettre du diplomate.

CHAPITRE 9

Le soir était tombé, et Indy, Sixtus et Xavier se trouvaient à nouveau dans la cour du château de Laxenburg. Ils portaient leur uniforme autrichien.

L'un des agents en trench-coat qui les avaient conduits au château — celui avec les marques laissées par l'acné — remit un bout de papier à Indy.

— Rendez-vous directement à cette adresse, dit-il. Mister Max vous y attend avec de nouveaux papiers et des vêtements civils, pour le voyage de retour.

L'agent se retira avec respect à l'arrivée de Charles et Zita, qui venaient dire au revoir à Sixtus et à Xavier. Derrière eux, Indy apercevait l'alignement parfait des gardes du palais. Il remarqua également le comte Czernin, qui surveillait les adieux avec attention.

— Avez-vous bien rangé la lettre du comte Czernin ? demanda Charles.

Xavier tapota sa poche. Charles lui tapa sur l'épaule et Zita l'embrassa, puis ils furent devant Sixtus.

— Je suis désolé de vous avoir embarrassés, dit le prince.

— Tu ne peux pas nous embarrasser, dit Zita avec affection en l'enveloppant dans ses bras pour lui dire adieu. Rentrez chez vous sains et saufs.

Charles se tenait devant Indy.

— Quant à vous, capitaine, nous n'oublierons pas ce que vous avez fait pour nous.

Il ouvrit les bras et embrassa Indy, à sa grande surprise.

— Mes frères me sont précieux. Je sais que vous ferez tout votre possible.

Indy fut encore plus surpris de constater qu'une main glissait quelque chose — une enveloppe ? — dans la poche intérieure de sa tunique. Si Charles n'avait pas été empereur, il aurait pu faire un excellent magicien, pensa-t-il.

Ils échangèrent un sourire complice, et Charles lui donna une tape affectueuse dans le dos. Sixtus et

Xavier montèrent à l'arrière de la même voiture ordinaire qui les avait déjà amenés au château, et Indy prit le volant. Avec des gestes d'adieu, ils quittèrent le château.

Sixtus était affalé sur son siège, mais il finit par se pencher en avant vers Indy, qui avait pris la route en direction de Vienne.

— Qu'est-ce qui vous fait tant plaisir ? demanda le prince. Tout ce voyage n'a servi à rien. Cette lettre n'a aucune valeur.

Le sourire d'Indy s'élargit.

— J'ai comme une petite idée que celle-ci, par contre, vaut autre chose.

Il sortit la lettre que Charles avait glissée dans sa poche. Sixtus la saisit et commença à lire.

— « Aux gouvernements français, britannique et belge. »

Il accéléra sa lecture.

— « Je soussignée Sa Majesté Impériale, Charles, empereur d'Autriche-Hongrie, demande la paix par la présente, pour laquelle je suis prêt à accorder les concessions suivantes... » Ils éclatèrent de rire et ne s'arrêtèrent pas jusqu'à Vienne. Personne ne remarqua la petite voiture de tourisme de marque Benz, dernier modèle, qui les avait suivis jusqu'à la ville.

Un brouillard épais submergeait les rues de la

ville, rendant plus faible l'éclairage public et estompant la vue des bâtiments. Indy stoppa la voiture, essayant de trouver, à travers l'obscurité, l'adresse qui lui avait été donnée.

La rue dans laquelle ils se trouvaient était bordée de grands immeubles sans caractère, plutôt genre dortoirs que maisons. L'humidité rendait luisants les pavés inégaux et suintait des murs.

— Personne en vue, fit Indy. Enfin, je pense qu'il vaut mieux, car ça fera toujours moins de témoins pour dire que nous sommes passés par là. (Et moins de chances d'être attaqués par un voyou qui passe par là, ajouta-t-il pour lui-même.)

Il arrêta la voiture devant l'immeuble qu'ils cherchaient. Indy et les princes descendirent de voiture.

Ils pénétrèrent dans un vestibule minable, éclairé par une seule et faible ampoule. Indy passa devant, gravissant l'escalier raide dont les marches grinçaient sous leurs pas et qui tournait tellement que la tête d'Indy tournait également lorsqu'ils arrivèrent enfin à destination. Il se posait la question de savoir pourquoi tous les espions vivaient toujours au dernier étage.

Le couloir qui conduisait à l'appartement de Mr. Max était dans le noir ; seuls quelques rayons de lumière arrivaient de l'entrée, en bas. Indy se retourna pour regarder les princes. L'ombre étrange de la rampe d'escalier transformait leurs visages en masques grotesques.

— Voilà l'appartement, chuchota Indy.

Il avança vers la porte de bois et frappa doucement. Il ne reçut pas de réponse. Indy frappa un peu plus fort. La porte s'ouvrit avec des grincements.

L'appartement était plongé dans l'obscurité.

— Mr. Max? chuchota Indy. Nous sommes là.

Il chercha l'interrupteur, le trouva et l'actionna. Pas de lumière : tout ce qu'ils entendaient était un bruit bien rythmé : cric... cric... cric...

— Qu'est-ce que c'est? chuchota Sixtus.

— Il doit bien y avoir de la lumière quelque part. Xavier passa sa tête dans l'entrée, scrutant autour de lui.

— Attendez.

Indy cherchait dans ses poches.

— J'ai des allumettes.

Il avait trouvé la boîte et prélevé une allumette, qu'il fit craquer sur l'ongle de son pouce.

Il fut ébloui une seconde par l'éclat de la flamme, puis il prit conscience de quelque chose qui se balançait devant ses yeux : une paire de chaussures.

Ils levèrent tous trois la tête et découvrirent

Mr. Max. L'homme émacié était pendu à ce qu'il restait du plafonnier, le visage tordu, les yeux exorbités, la langue pendante entre les lèvres bleuies. Une corde était tendue depuis le plafonnier, cassé, et nouée derrière l'oreille de l'homme.

Ils ne purent voir le nœud coulant, car il était enfoncé trop profondément dans la chair du cou de l'espion.

Sixtus, Xavier et Indy étaient cloués sur place, regardant l'horreur qu'ils avaient en face d'eux.

— Je pense qu'il faut s'en aller maintenant, chuchota Indy.

Une forme surgit de la pièce d'à côté. Dans l'ombre, elle ressemblait à un énorme animal difforme. Puis elle se transforma en un homme corpulent et qui ressemblait à un géant.

Un sourire démoniaque fendait son visage hideux. Il lui manquait une oreille, et des cicatrices blanches étaient visibles à la lumière de l'allumette.

— Pourquoi si vite? demanda-t-il en allemand.

CHAPITRE 10

Indy secoua l'allumette et poussa un cri de sauvage, qui fut bientôt repris par Sixtus et Xavier. Il fonça vers la porte de l'autre pièce. Il fallait se débarrasser de ce géant avant de pouvoir s'échapper. Au moins, l'homme ne pouvait pas lancer son couteau avec précision dans le noir où ils se trouvaient.

Au milieu de la pièce, Indy se heurta à une table. Il en perdit le souffle et vit trente-six chandelles. La table se renversa et Indy se retrouva par terre.

— La prochaine fois que je fais un bond, il vaut mieux que je m'assure qu'il n'y a rien devant moi, se dit-il.

Pendant qu'il essayait de se redresser, il perçut le bruit d'une bagarre non loin de lui. Des pieds se déplaçaient rapidement sur le plancher usé, et il reconnut le bruit mou d'un poing qui s'abat sur un corps. Un cri de douleur fusa, après les grogne-ments et les respirations lourdes.

— Je l'ai! cria Sixtus. J'ai le couteau!

Indy gratta une autre allumette.

Dans la lueur de la flamme, il entrevit les deux frères royaux qui luttaient avec l'immense bandit, qui les avait auparavant traînés à travers la pièce. La lame du couteau, tombé sur le sol, scintillait. Mais le géant avait toujours son sourire écœurant. Et Indy sut pourquoi, quand son allumette projeta l'ombre du canon d'un Mauser automatique. L'horrible bonhomme rigolait comme un maniaque.

— Mais moi, j'ai le pistolet!

— Extra, se dit Indy. Je viens de montrer à cet individu dans quelle direction il doit tirer.

Il souffla vite sur l'allumette et se jeta par terre. Juste à temps, car le géant tirait déjà dans la direction où il se trouvait une seconde aupara-vant.

Cinq coups partirent rapidement, pulvérisant la fenêtre au-dessus de la tête d'Indy. Il fit un roulé-boulé et essaya de se remettre debout. La seule vue de la chambre qu'il avait maintenant venait de l'éclair du pistolet, chaque fois que l'autre tirait.

Le géant s'était déplacé de façon à l'empêcher de sortir par la porte. Il fit volte-face et tira encore. Dans la lueur de l'éclair, il devina Sixtus et Xavier qui se précipitaient à terre. La balle brisa un vase, dont les fragments s'éparpillèrent sur les deux princes.

Indy avait compté les coups. Au dixième, il sut que le chargeur de l'automatique était vide. Il se jeta alors sur le géant, tête la première, afin de l'atteindre sous la ceinture. La tête d'Indy percuta le géant debout en plein dans le bas-ventre, avec la force d'un boulet de canon.

Le Mauser tomba lourdement sur le sol et le gros agent allemand chercha son souffle, plié en deux. Il perdit l'équilibre, tomba en arrière, entraînant Indy dans sa chute.

L'homme essayait de reprendre son équilibre à l'aide de ses bras, mais en vain. Lui et Indy percutèrent de tout leur poids la porte branlante de l'entrée, qui s'ouvrit violemment, éclatant en mille morceaux de bois pourri.

Cela ralentit à peine leur chute, et ils allèrent s'écraser contre la rampe de l'escalier. L'impact fit rebondir Indy, qui retomba à plat sur le dos. Son énorme adversaire eut moins de chance. Il avait heurté la rampe du dos, vacillait vers l'arrière et... perdait l'équilibre. Ses mains s'agitaient désespérément, cherchant quelque chose à quoi s'agripper. Le talon de sa chaussure se prit dans l'ourlet de son long pardessus. L'autre jambe quitta le sol, et il dégringola par-dessus la rampe. Sixtus et Xavier sortirent en flèche de l'appartement. Ils étaient en train d'aider Indy à se remettre debout quand ils entendirent l'impact sourd et horrible de l'homme qui s'écrasait en bas.

Indy s'agrippa à la rampe, regardant en bas avec horreur. Il vit l'homme, immobile, bras et jambes en croix, étalé sur le sol de marbre, à présent taché, de l'entrée de l'immeuble.

Un homme au cou de taureau, vêtu d'un pardessus de cuir noir, entrait en trombe, stoppant net à la vue du cadavre. Il leva la tête vers les étages, découvrant à la faible lumière de l'ampoule le monocle vissé à son œil.

Derrière lui, une équipe d'hommes, tous vêtus de trench-coats identiques et sombres, déferlait.

L'homme au monocle désigna les trois personnes en haut de l'escalier et ordonna :

— Tuez-les !

Sa petite armée sortit les Mauser et commença à se presser dans l'escalier.

— Bon, pas possible de quitter cet endroit par la porte d'entrée, se dit Indy.

Levant la tête, il découvrit un petit escalier qui, apparemment, menait vers le toit.

— Allons-y, dit-il en tirant les princes par le bras. Ils comprirent immédiatement, martelant les marches du petit escalier de leurs pas. La porte vers le toit était fermée, mais en aussi mauvais état que la porte d'entrée de l'appartement de feu Mr. Max. Elle céda sous l'impact des trois épaules. Indy hésita une seconde, cherchant désespérément un chemin d'évasion par le toit. Il s'élança, suivi des princes, et ce fut une véritable course d'obstacles. Des cheminées et des lucarnes dangereuses se multipliaient dans les endroits les moins commodes. Aucune possibilité de suivre un chemin précis; Indy et ses amis étaient obligés de faire des détours et de fuir comme ils pouvaient.

Derrière eux, la petite porte du toit s'ouvrit à nouveau brusquement, et la horde de tueurs sortit en se bousculant. Indy accéléra...

... Et ne put aller plus loin: il se trouvait au bord extrême du toit. L'immeuble était un énorme édifice séparé par une petite ruelle de l'immeuble le plus proche.

La distance n'aurait pas été trop grande... s'ils avaient été des kangourous... Mais aucun être humain ne pouvait sauter si loin.

— Les voilà! entendit-il crier derrière lui.

Les Mauser crachèrent le feu, et les balles allèrent

se loger dans les tuiles et la maçonnerie tout autour d'eux.

— Sautez! cria Indy.

Pliés en deux pour représenter la plus petite cible possible, ils sautèrent du toit.

CHAPITRE 11

Indy et les princes eurent le temps de voir quelques bonnes rangées de tuiles inclinées défiler pendant qu'ils descendaient.

Puis leur chute fut brisée par la plate-forme d'une échelle d'incendie, quelques mètres plus bas.

Ils atterrirent dans un bruit épouvantable, et la structure en fonte se mit à se balancer de manière alarmante. Pendant un court instant, Indy se demanda si ce fichu truc allait se détacher et les faire tous plonger vers le sol.

— Il ne manquait plus que ça, pensa-t-il. Au lieu de nous échapper, nous allons donner une imitation en plein ciel du plongeon de l'horrible géant de tout à l'heure.

Mais la plate-forme tint bon et, peu après, Indy,

Sixtus et Xavier descendaient à toute vitesse les marches métalliques. Indy sauta sur la plate-forme, un étage plus bas, et risqua un regard vers le haut.

Le visage des princes était tendu, tandis qu'ils accéléraient l'allure autant qu'ils le pouvaient.

Au moment où ils atteignaient tous les trois l'étage inférieur, leurs poursuivants arrivaient au sommet. Le bruit des coups de feu déchirait le silence de la nuit. Une balle ricocha à quelques centimètres de la tête d'Indy, provoquant une étincelle.

Indy accéléra encore sa course, les princes le suivant de près. Ils atteignirent enfin les derniers niveaux de l'échelle, sautèrent la rampe et atterrirent dans la ruelle. Ils couraient toujours.

— Il va falloir atteindre l'angle du bâtiment suivant, se dit Indy. Sinon, nous sommes coincés ici.

Ils prirent l'angle sous le feu d'un Mauser, dont l'impact fit voler en éclats un large morceau de pierre.

Sixtus s'effondra contre le mur en soufflant comme une forge. Indy l'attrapa par le bras et le tira à lui.

— Si vous vous reposez ici, haleta-t-il, ces gars nous auront rattrapés dans une seconde.

Ils continuèrent à courir tant bien que mal, traversant à toute allure une large rue en direction d'un autre bloc de bâtiments et de petites ruelles tortueuses. Derrière eux, sur le pavé, ils pouvaient entendre le martèlement des lourds souliers à clous qui avaient entamé la poursuite.

Indy n'avait pas le temps de réfléchir. Leur course folle était sans but précis; ils longèrent des ruelles remplies de brouillard, de temps à autre vaguement éclairées par un réverbère, ce qui leur évitait de se perdre complètement.

Le pied d'Indy glissa sur des ordures pendant qu'il négociait un tournant et il manqua de justesse de s'affaler sur le pavé. Il découvrit bientôt qu'il pouvait y avoir pire.

En effet, quelques ruelles plus loin, Indy entendit Xavier pousser un hurlement d'horreur, qui couvrait à peine le cri perçant du rat sur lequel il venait de mettre les pieds.

Leurs poursuivants n'étaient pas très loin en arrière et le bruit de leurs pas résonnait entre les façades des bâtiments de pierre.

Indy s'arrêta à une intersection. Quel chemin prendre? Il était complètement désorienté par sa course.

Soufflant bruyamment, Xavier et Sixtus le rejoignirent.

— Par ici, dit Indy en choisissant un chemin au hasard.

Courant à nouveau, ils avaient parcouru environ la moitié de la ruelle quand un duo apparut à l'autre bout, bloquant le chemin de leur fuite. À en juger par leurs silhouettes, vêtues de trench-coats et de chapeaux mous, ils semblaient les jumeaux des tueurs qui les poursuivaient.

Et bien entendu, le contour bien reconnaissable du pistolet Mauser était visible dans leurs mains.

— Zut, on s'est trompé !

Indy pivota brusquement, rebroussant chemin, les princes sur ses talons.

Ils repassèrent devant l'angle de la ruelle qu'ils venaient de quitter, et un cri de triomphe retentit.

Indy, Xavier et Sixtus rasaient l'angle de l'autre extrémité de la ruelle et arrivaient dans une impasse, pendant que les équipes de poursuivants se rejoignaient pour unir leurs forces.

L'escadron de la mort envahit la ruelle, assoiffé de sang. Leur proie ne pouvait plus leur échapper maintenant. Plus d'issue possible. Et ils n'étaient qu'à quelques secondes derrière eux... Les murs d'un espace beaucoup plus large renvoyaient l'écho de leurs souliers à clous, puis ce fut le silence. Les tueurs tournaient en rond, déboussolés. Ils étaient arrivés en trombe sur une place ouverte, carrée, une étendue de pavés inégaux, sans aucun endroit pour se cacher.

Où étaient passées les trois personnes qu'ils pourchassaient ?

D'autres pas se firent entendre, venant de la
ruelle. Un autre escadron de tueurs arrivait, avec,
à leur tête, l'homme avec la grosse bouille à
monocle. L'œil et le monocle reflétaient le même
éclat dangereux lorsqu'il inspecta l'espace autour
de lui.

— Que s'est-il passé ? aboya-t-il. Où sont-ils ?

Le chef de la première bande, un homme à
l'aspect menaçant, un bandeau sur l'œil, enleva
son chapeau mou pour se gratter la tête.

— Comte von Büler, nous étions sur leurs talons !

— Nous avons pris ce tournant et ils n'étaient plus
là, dit un autre d'un air penaud.

— Disparus !

Le comte était sur le point de lâcher un chapelet
de jurons, mais il se tut brusquement, regardant
ses pieds.

Un chat se frottait à sa cheville cachée sous le
pantalon bien coupé, soulevant une patte pour
jouer avec les lacets de ses souliers.

Avec une expression de dégoût profond, le comte
donna un coup de pied à l'animal et l'envoya
voltiger plus loin.

Le chat miaula de douleur.

— Vous me quadrillez cette place, vous cherchez

dans tous les coins et recoins, et vous me les trouvez! aboya le comte.

La troupe se divisa en petits groupes, se déployant sur la place. Le chat, le dos rond, les poils hérissés, observait leur départ. Puis il se sauva en boitant, loin de ces humains déplaisants.

Tout à coup, le chat s'arrêta sur le couvercle d'une bouche d'égout, renifla et miaula plaintivement. Il repartit alors à pas feutrés.

Un soupir de soulagement s'échappa de l'égout.

CHAPITRE 12 .

Indiana Jones avançait en tâtonnant dans le noir le plus absolu, une main glissant sur la paroi visqueuse à sa droite, l'autre tenant plaqué un mouchoir sur son nez et sa bouche.

Derrière lui, une main — celle de Xavier — tenait son épaule, tandis que Sixtus fermait la marche. Les autres s'étaient également fait un masque avec leur mouchoir.

Les yeux d'Indy pleuraient, non pas parce qu'il tentait de percer l'obscurité totale, mais plutôt à cause de la puanteur qui venait des murs, du sol et de l'eau qui coulait d'un côté — une odeur nauséabonde.

Et pourtant, c'était cette odeur qui lui interdisait de gratter une allumette. Certains gaz d'égout étaient inflammables, explosifs même. Et ici, dans les égouts de Vienne, Indy avait l'impression d'avoir trouvé le gaz le plus inflammable qui soit. Ils avançaient à l'aveuglette sur le sol gluant, leurs pieds dérapant dans une boue huileuse et dégoûtante qu'ils ne pouvaient heureusement pas voir. Dans le noir, Indy ne savait pas s'ils étaient dans un endroit haut et large ou bas et petit. Ses oreilles bourdonnaient du bruit de l'eau qui coulait et ne pouvaient donc pas lui servir de guide. Mais le pire, c'était l'odeur, qui les assommait comme un coup de poing. Odeur rance des ordures en décomposition, mélangées à une puanteur chimique, ainsi qu'à quelque chose de fétide, dont il ne voulait pas connaître l'origine.

— Visitez Vienne, se dit-il amèrement, la capitale de la puanteur.

De temps en temps, ils traversaient un collecteur d'eau ou une bouche d'égout.

Ils pouvaient alors se repérer pendant quelques pas grâce à un réverbère dont la lumière filtrait à travers l'ouverture.

Cela aurait pu être encore pire, se rassura Indy. Au moins le passage était fait pour l'homme, et il y avait même une barre d'appui au-dessus du courant d'eau sale.

— Nous n'avons vraiment pas de chance, dit Xavier, pendant qu'ils continuaient à marcher.

— Mr. Max aurait pu être pris par la police secrète à n'importe quel moment, mais pourquoi donc juste au moment où nous allions lui rendre visite ?

— Ces gens n'appartiennent pas à la police secrète, dit Indy. Du moins, ils ne font pas partie de la police autrichienne.

Xavier s'arrêta brusquement, lâchant presque l'épaule d'Indy.

— Que voulez-vous dire ? demanda-t-il.

— Oui (La voix de Sixtus était tendue, contrariée, fatiguée et transpirait la peur.), qu'est-ce qui vous fait dire cela ?

— Avez-vous remarqué les pistolets avec lesquels ils ont essayé de nous tuer ? répondit Indy. C'étaient des Mauser avec crosse amovible. Le tueur, dans l'appartement de Mr. Max, a tiré deux coups.

— Et alors ? demanda impatiemment Xavier, qui ne voyait pas où il voulait en venir.

— Les Autrichiens se servent d'un Steyr automatique huit coups, expliquait Indy. Il s'agit d'un pistolet beaucoup plus carré que le Mauser.

Il respira profondément, et le regretta aussitôt. L'odeur !

— Les hommes qui nous pourchassaient ne portaient pas des pistolets autrichiens. Ce n'étaient donc pas des Autrichiens.

— Attendez! protesta Sixtus. Quand Mr. Max vous a menacé, il avait un parabellum neuf millimètres, le pistolet de l'officier allemand. Mais, dites-moi, vous ne pensiez pas qu'il était un espion allemand?

— Bien sûr, il avait pu se procurer un Luger, dit Indy. Ce n'est pas trop difficile, je pense, dans une ville pleine d'officiers allemands. Le fait est que les hommes qui nous cherchent ont tous le même modèle, comme une armée. Et devinez quel pays a ce genre d'arme?

— L'Allemagne, dirent ensemble Xavier et Sixtus.

— Donc, il semble que les petits garçons du Kaiser savent ce que nous sommes venus faire, dit Indy. Nous allons devoir être très prudents si nous voulons rester en vie.

L'avertissement d'Indy n'était pas de trop.

Les princes l'exhortaient à quitter cette cache trop puante le plus rapidement possible. Mais lorsque Indy grimpa l'échelle du regard suivant, il entendit des voix assez proches.

Elles ne parlaient pas le dialecte doux et mal articulé de Vienne — le Wienerisch —, mais l'allemand pur et guttural de l'Allemagne du Nord.

Indy rejoignit Sixtus et Xavier, restés en bas.

— Nous continuerons notre chemin sous terre, leur dit-il. Ils nous cherchent toujours.

Ils cheminèrent longtemps à travers les égouts. À certains endroits, ils étaient obligés de patauger dans l'eau sale pour changer de direction.

Lorsque Indy, finalement, décida de remonter à la surface, ils étaient à des kilomètres de l'endroit où ils étaient descendus. Indy fit cependant presser le mouvement. Ils étaient toujours dans la ville, et il fallait la quitter au plus vite. La solution qu'il pensait être la plus judicieuse menait à l'une des gares de banlieue.

Ce n'est qu'une fois qu'ils furent à bord du train, sains et saufs, qu'Indy laissa les princes prendre un peu de repos.

Sixtus et Xavier investirent un côté du compartiment et se laissèrent choir sur les banquettes. Leur maintien n'avait plus rien de royal.

Ils ne bougeaient pas, complètement épuisés. Finalement, Sixtus trouva assez d'énergie pour tenter de nettoyer sa veste. Il renifla et secoua la tête.

— C'était une idée formidable, ces égouts. Et l'odeur, hum, inimaginable !

Xavier avait finalement de la chance, car, du passage dans les eaux froides de l'égout, il avait hérité seulement d'un rhume. L'odeur n'était plus un problème pour lui, il avait le nez trop bouché. Il étouffa un éternuement, puis s'écria :

— Attendez ! Et la lettre, que s'est-il passé avec la lettre ?

Même l'effort de lever la main pour vérifier la poche intérieure de sa tunique était presque impossible pour Indy.

— Un peu humide, dit-il enfin, mais toujours intacte.

Un petit sourire étira les lèvres de Xavier.

— Comme nous, quoi !

Pendant une seconde, ce fut le silence total. Puis, lentement, Sixtus se mit à rire. Indy l'imita, puis Xavier. Ce n'était pas un fou rire, cependant. Ils étaient vraiment trop fatigués pour cela. Finalement, leurs rires s'éteignirent. Sixtus regarda la tunique grise qu'il portait.

— Comment passer la frontière avec ces uniformes ? demanda-t-il d'un air soucieux. Normalement, nous aurions dû recevoir d'autres papiers et des vêtements civils...

Les yeux d'Indy se fermaient, malgré l'effort qu'il faisait pour les garder ouverts.

— Ne vous faites pas de souci, dit-il aux princes. Je trouverai bien quelque chose...

Le soleil entrait par la fenêtre ouverte du compartiment, laissant également couler un courant d'air froid. Mais les occupants le supportaient stoïquement. Leurs vêtements puants avaient besoin de prendre l'air.

Indy était vautré sur son siège, la tête en arrière, la bouche ouverte, le sommeil profond.

Les princes étaient serrés l'un contre l'autre, car ils avaient froid, et ronflaient copieusement. Même l'arrêt brusque du train ne parvint pas à les réveiller.

Indy fut projeté vers l'avant, ouvrit un œil et regarda vaguement autour de lui. Il était sur le point de se rendormir quand le contrôleur passa devant la porte de leur compartiment.

— Götzis! cria-t-il, avec cette voix enjouée qu'ont tous les contrôleurs lorsqu'ils disent que la matinée est splendide, aux aurores.

— Ici Götzis! Dernier arrêt avant la frontière suisse!

Indy fut tout à coup bien réveillé. Il se pencha pour secouer les frères endormis. Puis il jeta un regard encore un peu voilé par la fenêtre du compartiment.

— Oh non!

Les yeux d'Indy étaient largement ouverts maintenant. Sa voix s'était enrouée.

Sixtus et Xavier jetèrent également un œil par la

fenêtre, et retinrent leur souffle lorsqu'ils reconnurent sur la plate-forme en bois de la gare, parmi la foule, les traits épais d'un homme qui attendait.

La tête ronde, bien rasée, le monocle, l'expression d'ànimal sauvage qui vient de renifler l'odeur du sang : c'était l'homme qui avait organisé leur poursuite implacable de la nuit précédente.

CHAPITRE 13

— Comment nous a-t-il retrouvés? dit Sixtus d'une voix hachée, pendant que tous trois se baissaient brusquement.
— Juste à temps, se dit Indy.
Son dernier regard à la fenêtre lui avait prouvé qu'un autre escadron de tueurs aux visages froids était là, se rassemblant autour de leur chef. Tout le groupe s'avançait vers le train, scrutant l'intérieur à travers les vitres.
— Ils contrôlent probablement tous les trains qui quittent l'Autriche, dit Indy aux princes. Et particulièrement les trains en partance pour la Suisse.
Sixtus et Xavier dévisagèrent Indy dans l'attente, mi-espoir, mi-peur, de ce qu'il allait leur annoncer.

— Fantastique, se dit Indy. Ils comptent sur moi pour s'en sortir. Et je n'ai aucune idée de ce qu'on va faire.

Le train s'ébranlait à nouveau, quittant la gare.

— Monsieur Monocle et ses gentils compagnons sont probablement montés dans le train, dit Indy aux jeunes hommes. Il est certain qu'ils vont commencer à fouiller systématiquement tout le train. Nous avons donc deux solutions : ou nous restons ici comme des souris dans une trappe ou nous nous bougeons.

Sixtus ouvrit la porte du compartiment et jeta un regard dans le couloir du wagon.

— Bien, marmonna Indy, nous sommes une cible mobile, au moins.

— Nous ne laissons pas de bagages derrière nous et c'était déjà une bonne chose, dit Xavier.

Ils atteignirent le bout du wagon. Avec la prudence caractéristique acquise au cours de multiples poursuites dans les trains, Indy jeta un œil par la vitre de la porte qui séparait leur wagon du suivant, balayant du regard celui-ci avant d'y pénétrer.

— Bien m'en a pris, se dit-il, car deux hommes en trench-coat et à chapeau mou s'avançaient lentement dans le couloir.

Ils examinaient chaque compartiment devant lequel ils passaient. Indy revint rapidement sur ses

pas et poussa les princes dans la direction oppo-
sée.

— Ils se sont divisés en petits groupes, dit-il. Et ils
avancent sur nous.

Sixtus, Xavier et Indy coururent vers l'autre bout
de leur wagon. Les princes se pressèrent dans
l'encoignure de la porte de connexion, pendant
qu'Indy jetait prudemment un coup d'œil.

— Mauvaises nouvelles! fut son rapport. Il y a un
autre duo dans le wagon suivant. Nous sommes
pris au piège.

Il se retournait pour regarder les figures pâles des
princes quand il remarqua les mots écrits sur la
porte contre laquelle les princes étaient appuyés.

— « DAMEN », lut-il à haute voix. C'est le mot
allemand pour « toilettes pour dames ».

Il eut un sourire furtif.

— Avez-vous du cran, messieurs? C'est notre seul
espoir.

Ils disparurent à l'intérieur.

Deux des assassins bien entraînés franchissaient la
porte qui séparait les deux wagons. L'un tenait la
porte, l'autre gardait une main dans la poche de
son trench-coat, mais le contour du pistolet qu'il y
cachait était bien apparent.

Les ordres du comte von Büler avaient été très
clairs : « Cherchez dans tous les coins et recoins

du train les trois espions alliés en uniforme autrichien. Faites-le discrètement. Capturez-en au moins un vivant. »

Les hommes avaient appris à tuer.

Ils connaissaient au moins dix manières différentes de le faire. Ils pouvaient éjecter une balle enrayée de leur pistolet en l'espace d'une seconde.

Mais arrivés à cette étape de leurs recherches, ils s'arrêtèrent. Pendant leur entraînement, il n'avait jamais été question de fouille de toilettes pour dames.

Sortant son pistolet, Hans ouvrit la porte. Lui et Fritz passèrent leur tête à l'intérieur.

— Y a-t-il quelqu'un ? dit Hans prudemment.

Un cri perçant comme le sifflet d'un train lui répondit.

— Monstre ! crachait la voix aiguë et chevrotante d'une vieille dame. Comment osez-vous entrer ici ?

Le pauvre Hans rougit jusqu'à la racine de ses cheveux blonds. Il camoufla rapidement son pistolet. Une autre voix stridente et caquetante venait de la cabine à côté :

— Hildegarde ! Appelle le contrôleur immédiatement !

Hans et Fritz échangèrent des regards inquiets. « Que la fouille soit discrète », avait dit le comte.

En silence, ils refermèrent la porte et se dépêchèrent de disparaître dans le couloir.

Quelques secondes après que la porte se fut refermée, Indy regarda par-dessus le portillon de sa cabine.

— Une de mes meilleures imitations, dit-il avec un large sourire.

Une seconde plus tard, Xavier et Sixtus passaient eux aussi les yeux au-dessus de la porte de leur cabine.

— Il ne nous reste...

Sixtus commença avec la même voix aiguë et caquetante qu'il venait d'utiliser. Embarrassé, il se racla la gorge et recommença d'une voix normale :

— Il ne nous reste qu'à sauter du train et à passer la frontière à pied.

— Nous allons nous rompre les os ! protesta Xavier.

— C'est préférable à une mort par balles ! dit Sixtus.

— Oh, nous finirons probablement comme ça ! dit Indy. Rappelez-vous la clôture à la frontière, le fil barbelé, les gardes avec leurs fusils.

Il fronça les sourcils, puis ses yeux commencèrent à briller.

— Non, attendez, j'ai une meilleure idée...

Hans et Fritz étaient arrivés au wagon-restaurant. À l'entrée, ils trouvèrent le contrôleur.

— Nous cherchons trois soldats autrichiens, dit Hans d'une voix basse et menaçante. Des déserteurs. Vous les avez vus ?

Les yeux du contrôleur passèrent d'un trench-coat à l'autre. La police secrète, sans doute. Des gouttes de sueur perlaient sur son front.

— Je... je n'ai rien vu, dit-il en secouant la tête.

Les deux agents allemands laissèrent aller le contrôleur, nerveux, et pénétrèrent dans le wagon-restaurant. Il n'y avait que quelques personnes assises aux tables. Un regard sur ces deux figures patibulaires, et toutes les conversations s'arrêtèrent.

De l'autre côté du wagon, la porte s'ouvrit brusquement et Indiana Jones entra d'un air dégagé, portant toujours son uniforme autrichien...

Il sifflotait gaiement une mélodie et ne sembla pas remarquer le silence, jusqu'à ce qu'il arrive au milieu du wagon. La vue des deux agents sembla lui couper brusquement le sifflet.

— Vous ! cria Fritz. Ne bougez pas !

Indy se retourna et fonça vers la porte d'entrée. Hans et Fritz se lancèrent violemment à sa poursuite dans l'allée centrale. Indy saisit la poignée de la porte, puis se retourna, allongeant le bras vers la table la plus proche.

Hans et Fritz toujours sur ses talons, Indy arracha

la nappe et fit valser les plats, les tasses à café et l'argenterie.

Les agents allemands se prirent les pieds dans la nappe ondulante. Indy ouvrit la porte et se jeta dans le couloir du wagon suivant. Hans et Fritz, se libérant rapidement, reprirent la poursuite. Ils avaient tous les deux sorti leur Mauser.

Tout en galopant dans le couloir, Indy frappait quelques petits coups secs sur la porte de chaque compartiment devant lequel il passait. Son minutage fut parfait. Lorsque Hans et Fritz arrivèrent, les voyageurs curieux sortaient dans le couloir pour savoir qui avait frappé.

Leurs ordres spécifiaient qu'ils devaient être discrets, Hans et Fritz ne pouvaient pas tirer. À la vue de leurs pistolets, les femmes commencèrent à hurler et les enfants à crier. Un gros bonhomme aux cheveux blancs fit un pas dans le couloir en bougonnant, et ils le percutèrent.

— Rentrez dans vos compartiments ! Vite ! *Schnell !* C'est un ordre ! aboya Hans.

Ces gens savaient bien reconnaître un ordre ! Ils s'exécutèrent rapidement et rentrèrent dans leurs compartiments.

Indy avait déjà atteint le bout du wagon et passé la porte. Hans et Fritz, se jetant dans le couloir, trouvèrent leur chemin bloqué par une solide barrière en bois.

— C'est le wagon à bagages, cria Hans, essayant de forcer la porte qui ne voulait pas céder. Il l'a coincée.

Il pointa le canon de son Mauser vers le bois autour de la poignée et se mit à tirer. Il secoua la porte, qui commença à céder.

Ensemble, Hans et Fritz reculèrent de trois pas et se lancèrent sur la porte. Elle résistait encore, mais plus pour longtemps.

Les deux tueurs se regardèrent avec un sourire complice, recommencèrent l'opération et, petit à petit, à leur troisième essai, la porte de bois céda. Les deux agents allemands étaient à l'intérieur du wagon à bagages.

Une allée centrale irrégulière conduisait au milieu du wagon. Elle zigzaguait entre les caisses, les boîtes, les malles et des piles de valises.

Il y avait une infinité de recoins pour se cacher. Mais Indiana Jones était acculé à l'autre bout du wagon, le dos appuyé contre la porte. Il n'y avait pas de sortie. Voyant Hans et Fritz, Indy se mit à sangloter. Il se laissa tomber à genoux et de grosses larmes roulaient sur ses joues.

— Ne me tuez pas ! supplia-t-il d'une voix gémissante et désespérée. S'il vous plaaaaaît !

CHAPITRE 14

— Alors, dit Fritz doucement en empruntant l'allée centrale du wagon, l'espion habile n'est pas tout à fait un champion, hein? Il ne sait plus quoi faire, *ja?* C'est à notre tour de nous amuser un peu!

— Ne t'en fais pas, espion, ajouta Hans, qui suivait son partenaire. Nous n'allons pas te tuer.

Il ricanait et fixait méchamment Indy. Cela n'avait rien d'agréable.

— C'est-à-dire, nous n'allons pas te tuer avant que le comte von Büler t'ait questionné.

Des fragments de bois, arrachés à la paroi du wagon à bagages, restaient accrochés à la tunique d'uniforme d'Indy, tandis qu'il se recroquevillait. Ses yeux, largement écarquillés, ne quittaient pas les Allemands. À mesure qu'ils avançaient, ses sanglots et ses prières augmentaient de volume.

— Je vous dirai tout ce que vous voudrez. Je donnerai au comte mon livre de déchiffrage des codes. J'identifierai pour lui les autres espions en Autriche. Mais sauvez-moi la vie! Je vous en supplie! Je suis trop jeune pour mourir! Je vous aiderai et je ferai tout ce que vous me commande-rez!

Hans et Fritz étaient maintenant à la hauteur de deux grandes malles en cuir. À partir de là, et jusqu'à l'endroit où Indy était recroquevillé, se trouvait un espace libre. Indy joignit les deux mains, toujours en pleurant.

— Ccccccroyez-moi. Je... ça y est, allez-y, les enfants!

Les Allemands avaient dépassé les malles.

Surgissant de l'ombre qui les avait cachés, Sixtus et Xavier prirent position derrière eux, des gour-dins levés au-dessus de leur tête.

Hans et Fritz s'arrêtèrent, surpris par le cri d'Indy, juste au moment où les gourdins s'abat-taient sur leurs crânes.

Fritz s'effondra comme un arbre abattu. Hans, cependant, avait sûrement le crâne plus dur. Il fronça les sourcils, jeta un regard furieux dans la direction d'Indy, avança d'un pas et leva son pistolet. Puis, comme un ballon qui se dégonfle, il tomba sur le sol.

Xavier s'avança, prêt à donner un autre coup. Mais ce ne fut pas nécessaire.

— Il a perdu connaissance, dit le plus jeune des princes. Il était juste un peu plus lent que l'autre à réagir. C'était finalement assez facile et ces deux lascars sont tombés droit dans le piège!

— Un plan excellent, mon vieux, dit Sixtus en jetant son bâton.

— L'étape suivante, maintenant, dit Indy. Vite, quittez vos uniformes! Nous n'avons pas une minute à perdre!

Sixtus et Xavier se débarrassèrent rapidement de leurs uniformes tachés et déchirés. Ils ne ressemblaient plus du tout aux jeunes et fringants officiers qui avaient fait leur entrée à Vienne et qui n'avaient rien d'hommes de terrain.

Leurs vêtements étaient salis, froissés, et ils s'étaient battus pendant qu'ils les portaient; de plus, ils avaient fait une promenade dans les égouts de Vienne. Les princes étaient ravis de pouvoir s'en dépouiller.

Indy était fort occupé à déshabiller Hans pendant ce temps, lui laissant toutefois ses sous-vêtements. Xavier revêtit rapidement le costume, légèrement trop grand.

Sixtus commença à enlever les vêtements de Fritz. Indy examinait rapidement les papiers qu'il avait trouvés dans les poches des agents allemands.

— Cela ne pouvait pas mieux tomber. C'est parfait, dit-il en faisant deux tas. Vous avez même l'immunité diplomatique allemande. Ils vous garantissent le passage de la frontière, pas de problème.

Il remit un jeu de papiers à chacun des frères. Sixtus tripota ses nouveaux papiers d'identité, puis, en fronçant les sourcils, dit :

— Et vous, comment allez-vous passer ? Avez-vous déjà élaboré un plan d'évasion ?

— Ne vous inquiétez pas pour moi ! coupa Indy.

Il prit dans la poche intérieure de sa tunique la lettre secrète de l'empereur Charles. Le lourd parchemin était légèrement froissé, mais le texte était intact.

— Il sera nécessaire de lui faire prendre un peu l'air pour évacuer cet inimitable parfum d'égout, dit-il avec un petit sourire.

Puis, redevenant sérieux, il remit la lettre à Sixtus.

— Rapportez cette lettre en France et remettez-la à qui de droit !

— Mais... commença Xavier.

— Ma mission était de vous ramener — ainsi que cette lettre — sains et saufs, leur rappela-t-il. Je pense qu'il vaut mieux nous séparer, et c'est à présent le meilleur moment pour le faire. Maintenant, ne restez pas plantés là et franchissez vite la frontière !

Les deux princes hésitaient encore, le regard un peu troublé.

— Hé, qui est le professionnel, ici ? demanda Indy. Allez, dépêchez-vous !

Sixtus et Xavier montraient toujours aussi peu d'enthousiasme. Néanmoins, ils s'avancèrent vers la sortie du wagon à bagages. Il n'y avait plus rien à ajouter.

Indy leur fit un petit salut espiègle et tira la porte fissurée derrière eux. Dès qu'il se retrouva seul, ses yeux se mirent à parcourir frénétiquement le wagon et les bagages empilés.

— Ce style de langage est parfait pour renvoyer les gens, se dit-il. Mais moi, comment vais-je faire pour me sortir de cette embuscade ? Je dois coûte que coûte franchir la frontière et sauver ma peau.

Lorsque le train atteignit la plate-forme de la frontière austro-suisse, le comte von Büler fut le premier à mettre le pied à terre.

D'un geste arrogant, il interpella l'officier de service. L'homme était un vétéran grisonnant, dont le visage restait marqué de cicatrices qu'un shrapnel russe lui avait laissées pendant la campagne d'ouverture de la guerre.

L'unique œil valide du capitaine s'ouvrit largement quand von Büler lui montra ses papiers.

— Comment pouvons-nous vous aider, monsieur le comte? demanda-t-il en se redressant un peu.

Soldats et police secrète, le voyant faire, se mirent au garde-à-vous.

— Je suis en possession de renseignements qui me permettent de penser que certains déserteurs et espions essaient de s'enfuir, dit von Büler à l'officier. Je dois absolument les retrouver pour les interroger : il en va de la sécurité nationale.

Il continua d'une voix forte, décrivant les trois hommes qu'il avait poursuivis depuis l'appartement de Vienne. L'espion en chef était bien entraîné.

Quand il eut fini, tous ceux qui l'avaient entendu étaient capables de reconnaître Indy, Sixtus et Xavier.

— Vous aiderez mes agents en fouillant le train, et arrêterez ces hommes. Vous pouvez en abattre deux sur les trois. Je me chargerai moi-même d'interroger le dernier.

Von Büler ne demandait pas de l'aide, il commandait.

La machinerie bien huilée du poste-frontière se mit en marche.

Les soldats firent sortir les voyageurs du train, et la foule se transforma en une longue queue qui avançait lentement pour franchir le portail.

Cette fois-ci, les soldats et la police secrète examinèrent avec un soin accru les papiers d'identité. Von Büler se tenait légèrement en retrait, observant avec insistance chaque visage dans la foule. Sa grosse tête menaçante se fendit, laissant entrevoir ses dents dans ce qui aurait dû être un sourire.

Mais ce n'en était pas un. Son visage exprimait plutôt la satisfaction d'un énorme prédateur qui a flairé une proie blessée et qui attend patiemment, car il sait qu'elle ne pourra pas lui échapper.

À l'intérieur du train, les quatre agents allemands restants fouillaient soigneusement les coins et les recoins des wagons.

Ils avaient dégainé leurs pistolets. Plus besoin d'être discret dans un train vide. Deux des agents avaient mis au point une bonne tactique pour fouiller les compartiments. Ils avaient l'habitude de rentrer en coup de vent, pistolets pointés. L'un donnait alors un coup de pied dans l'espace situé sous les sièges, l'autre sautait sur le tissu fatigué des banquettes, pointant son pistolet vers le porte-bagages du dessus. Tout semblait minu-

117

tieusement bien calculé pour ne laisser aucune chance à Indy de s'en sortir.

— Ah! cria le chercheur d'en bas, arrachant une couverture de voyage qui cachait l'espace inférieur.

Il jura longuement lorsqu'il découvrit que l'endroit était vide. Il empoigna la couverture de laine, y fit un trou avec la crosse de son Mauser et la déchira en deux en jetant les morceaux par terre.

— Où est ce misérable *Ausländer*? Quand je l'aurai attrapé, il me faudra beaucoup de sang-froid pour ne pas le tuer à coups de pied!

Ils tirèrent la porte du compartiment tellement fort que la vitre de la fenêtre se brisa.

Indy entendit le fracas et les jurons lui parvenir, là, directement au-dessous de lui. Il colla sa joue contre le toit couvert de suie du train, essayant de se camoufler au maximum.

L'avant de la locomotive se trouvait juste à un demi-mètre de la frontière. Si personne ne le remarquait sur la plate-forme..., si l'équipe de fouineurs n'avait pas l'idée de le chercher sur le toit..., si, si, si...

Indy observa Sixtus et Xavier, qui passaient calmement devant le comte von Büler.

Leurs chapeaux cachaient leurs visages, mais la

plupart des agents portaient le chapeau de cette façon. En voyant ces deux-là, qui, manifestement, étaient des agents secrets, les gardes-frontière autrichiens faisaient le maximum pour leur ouvrir le chemin et les laisser aller là où ils voulaient, sans leur poser la moindre question.

Les deux princes présentaient leurs documents lorsqu'une voix furieuse aboya :

— Arrêtez, arrêtez !

Hans, l'agent allemand qui avait été assommé par Xavier, arrivait en titubant sur la plate-forme. Il était affublé de sous-vêtements gris et pressait une main sur sa nuque. Son visage luisant était rouge de colère, mais pas seulement de colère ; il devait aussi avoir terriblement honte.

Quelques femmes poussèrent des cris d'indignation : que faisait cet homme en caleçon ?

Certains ne pouvaient s'empêcher de rire, tant la démarche de Hans, légèrement plié en deux, était comique à voir.

Mais le comte von Büler, lui, reconnut immédiatement son agent.

Tirant son Mauser, il cria :

— Ne bougez pas ce train !

De l'endroit où il s'était caché, Indy vit que Sixtus et Xavier profitaient de la confusion. Ils arrachèrent leurs papiers des mains des gardes suisses distraits, et franchirent la frontière.

Ils étaient saufs. Sa mission était terminée et il n'avait plus qu'à penser à lui et à sa situation pour le moins inconfortable.

Indy regardait l'activité fiévreuse autour de lui. Les troupes et les agents de la police secrète tournoyaient comme un essaim d'abeilles autour de sa ruche.

La question demeurait, pour Indy, de savoir s'il pouvait faire ce qu'il avait à faire, et cela sans se faire pincer.

CHAPITRE 15

— C'est tout ou rien, marmonna Indy entre ses dents, pendant qu'il se levait d'un bond.

Il galopa sur le toit du wagon, courant vers l'avant du train et vers la Suisse.

— Tu n'as qu'à t'imaginer qu'il s'agit d'un sprint de cent mètres, se dit-il. Enfin, peut-être un peu plus, pensa-t-il quand il arriva à l'extrémité du wagon. Il ne ralentit cependant pas, s'arc-bouta sur ses jambes et sauta...

Il atterrit lourdement sur le wagon suivant. O.K., ce n'est pas un sprint, mais une course de haies.

— Le voilà !

La voix du comte von Büler avait la force d'un clairon pendant qu'il désignait Indy du doigt.

— Eh, vous autres, à l'intérieur, tirez à travers le toit !

À l'intérieur du train, les deux équipes d'agents s'étaient rencontrées au milieu. Ils se regardèrent pendant un moment, complètement déconcertés par l'échec de leurs recherches, puis ils entendirent la voix de leur chef — en même temps que des pas qui martelaient le toit, au-dessus de leurs têtes.

Comme les tueurs bien entraînés qu'ils étaient, ils mirent la main à leur étui en cuir, sous leur trench-coat, et sortirent les canons de fusil, qu'ils mirent, avec une belle harmonie, tous en même temps dans l'ouverture pratiquée exprès dans la crosse de leurs pistolets.

Cela ne leur prit qu'une seconde pour transformer leurs pistolets en carabines. Épaulant leurs carabines, les hommes visèrent le plafond et commencèrent à tirer en chœur. La démarche coulante d'Indy devint soudain une sorte de danse bizarre, quand les balles commencèrent à siffler autour de ses pieds.

Il zigzaguait comme un fou, essayant de prévoir où les gens d'en bas allaient tirer. Et il continua vers l'avant. Si seulement il avait pu sauter du wagon !

— *Der Teufel !* jura le comte von Büler quand il constata qu'Indy traversait le cordon de balles sans une égratignure.

Il releva son propre Mauser, visant la tête du jeune espion...

— J'y suis presque, se dit Indy.

Il apercevait déjà l'extrémité, droit devant lui. Son seul problème était qu'il serait obligé de courir bien droit pour avoir suffisamment de vitesse en sautant.

— Bon, de toute façon, je n'irai nulle part si je ne me bouge pas, marmonna-t-il.

Retenant son souffle, il fit les trois derniers pas. L'un des tueurs, entendant les pas d'Indy juste au-dessus de sa tête, se retourna vivement et tira un dernier coup. La balle sortit en angle et enleva le talon de la chaussure d'Indy juste au moment où il sautait.

Indy, déséquilibré par l'impact, atterrit la tête la première sur le toit du wagon suivant. Ce fut une chute heureuse. Trois balles atteignirent l'endroit où la tête d'Indy aurait dû se trouver s'il n'était pas tombé. En bas, von Büler jura à nouveau et visa. Indy se redressa d'un bond et courut.

Pendant que Xavier et Sixtus regardaient, horrifiés, le capitaine autrichien cria un ordre à ses troupes. Les soldats mirent leurs fusils à l'épaule et commencèrent à tirer. Les agents de la police secrète sortirent leurs Steyr automatiques et ouvrirent le feu, eux aussi.

Indy fit un vol plané et atterrit dans le wagon à charbon. Son ventre touchait la pile de charbon et il entendait la symphonie de balles ricochant sur les parois métalliques du wagon.

Le chauffeur et son aide avaient déserté la locomotive pour éviter d'être touchés ; Indy était donc tout seul dans l'engin. Il plongea dans la cabine, ouvrit la vitre du côté opposé aux troupes et grimpa sur l'avant de la locomotive.

L'exercice de tir s'arrêta soudain. Puis Indy se rendit compte pourquoi. Il s'agissait d'une machine à vapeur et l'avant de la locomotive était en fait une énorme chaudière à vapeur dont la pression atteignait plusieurs centaines de kilos.

Si une balle trouait la paroi de la chaudière, l'engin exploserait comme une énorme bombe. Et les soldats autrichiens n'avaient pas tellement envie de sauter avec un espion suspect.

Quelques derniers coups furent quand même tirés par des tireurs d'élite trop confiants — ou trop furieux — pour s'arrêter, tandis qu'Indy continuait sa progression.

La grande cloche en bronze s'ébranla, émettant un son grave lorsqu'une balle l'atteignit. Bon, il n'y avait plus que la cheminée et, après cela, l'énorme tuyau métallique sortant d'un château d'eau qui se trouvait à côté des rails.

Le tuyau, d'un diamètre de trente centimètres environ, faisait un mouvement de bas en haut entre la tour d'eau et la locomotive pour alimenter les machines à vapeur des trains. Mais il pouvait également bouger de façon oblique, et Indy avait bien l'intention d'utiliser cet effet à son avantage.

Se baissant derrière la cheminée pour éviter une autre balle qui ricochait, il sauta de la locomotive. Indy décrivit un arc de cercle en l'air, les bras largement ouverts. Il heurta de plein fouet le côté du tuyau d'eau et fut presque précipité à terre ; il réussit néanmoins à s'y agripper.

Et comme il l'avait espéré, l'impact fit tourner vers l'avant l'énorme tuyau, qui décrivit un tour complet... par-dessus la frontière suisse.

Lançant des coups de pied dans le vide, Indy lâcha le tuyau et retomba sur le sol suisse. Les dernières balles de von Büler se frayaient maintenant un chemin à travers le réseau de mailles métalliques, mais trop tard.

Les hommes de la milice suisse se mirent en marche tel le mouvement précis d'une horloge. Leurs fusils étaient pointés sur Indy, avec le clic-clac des balles s'engageant dans les canons. Indy, immédiatement, leva les bras.

— Je me rends, je me rends ! cria-t-il. Je suis un déserteur autrichien et je demande l'asile.

De l'autre côté, sur le terrain autrichien, le comte von Büler lança son arme dans la poussière en jetant des regards furieux en direction d'Indy. Tout ce qu'il pourrait dire dans son rapport à Berlin était que des agents secrets avaient rencontré l'empereur autrichien. Il n'avait cependant aucune idée de l'objet de leurs discussions.

Du côté suisse de la frontière, Sixtus et Xavier arboraient un large sourire. Dès qu'ils seraient arrivés à Genève, ils pourraient mettre en mouvement les rouages de la diplomatie pour sauver Indy.

Sixtus prit le parchemin de sa poche et l'agita en signe de triomphe.

Indy souriait pendant que les soldats suisses s'apprêtaient à l'emmener.

— Je suis peut-être un prisonnier de guerre, se dit-il, mais ces gars-là ne savent pas que la guerre est pratiquement terminée.

Impression réalisée sur CAMERON
par BRODARD ET TAUPIN
La Flèche
en décembre 1992
N° d'impression : 6372G-5